S0-AKL-804

No imagino otra vida

NO IMAGINO OTRA VIDA

SHAMIM SARIF

TRADUCCIÓN DE ZORAIDA DE TORRES BURGOS

BARCELONA - MADRID

Título original: *I Can't Think Straight*

Cervantes, 2. 08002 Barcelona. Tel.: 93 412 52 61
Hortaleza, 64. 28004 Madrid. Tel.: 91 522 55 99
www.editorialegales.com

ISBN: 978-84-92813-31-5
Depósito legal: M-49851-2010

Maquetación: Cristihan González

Diseño de cubierta: Nieves Guerra

Imprime: Top Printer Plus. Pol. Industrial Las Nieves
C./ Puerto Guadarrama, 48. 28935 Móstoles (Madrid)

Agradecimientos

Hace unos años, cuando viajé a Amán con el objeto de documentarme para este libro, tuve la suerte de contar con muchas personas que me ayudaron y me proporcionaron la información que necesitaba. Entre quienes me regalaron generosamente su tiempo, su energía y sus contactos, debo citar a Rania Atallah y Abdullah Said, que organizaron entrevistas y una visita a un campo de refugiados. Mi cuñada Maha Kattan y Zina Haj Hasan aportaron numerosos detalles sobre el sistema aduanero de la región. Zein Naber, la pariente más colaboradora que hubiera podido desear, y su hija Nadine tuvieron la generosidad de presentarnos a sus amistades y mostrarnos su estilo de vida en Jordania. Marwan Muasher, que después fue ministro de Exteriores, hizo un hueco en su apretada agenda para reunirse conmigo y comunicarme con sinceridad y elocuencia sus esperanzas y sus temores en relación con Oriente Próximo.

Elaboré el guión de *I Can't Think Straight* junto con Kelly Moss, que en los últimos años ha demostrado ser una excelente amiga que confía en mi talento y ha estado siempre dispuesta a prestarme su apoyo. Aunque la novela difiere en algunos aspectos de la película, me he apropiado descaradamente de algunos de los mejores diálogos que Kelly escribió para la versión cinematográfica para incluirlos en el libro, y ella me los ha cedido amablemente y totalmente gratis, aparte de invitarla alguna vez a una comida bien regada.

Lea Porter es una de las amigas que me animó desde un principio a escribir esta historia; la frase «no como carbohidratos» es suya, porque confieso que a mí no me entra en la cabeza que alguien pueda negarse a consumir un grupo de alimentos tan delicioso.

También quiero dar las gracias a mi familia por apoyarme en todo momento, con una mención especial para mi hermana Anouchka, que siempre ha demostrado una fe inquebrantable en mí, a la que espero no defraudar.

Francine Brody revisó el texto con sensibilidad y perspicacia y mejoró muchos aspectos de la historia; ha sido un placer trabajar con ella. Debo dar las gracias también a Kirsty Dunseath por habernos presentado.

Y en el último lugar de esta lista, pero en el primero de mis pensamientos, quiero mencionar a Hanan, mi mujer, mi inspiración y mi principal apoyo. Esta historia en particular no existiría sin ella, y en cierto sentido más fundamental, tampoco existiría ninguna otra de mis historias y mis películas. Con amor y gratitud por todo lo que me has dado.

Para Hanan, el amor de mi vida, que me ha enseñado
que la verdad puede ser más extraña que la ficción,
y mucho más hermosa.

Y para Ethan y Luca, mis amores, mi vida.

Capítulo 1

Amán (Jordania)

Quedaba pendiente la cuestión de la ropa y empezaba a ser alarmantemente tarde. Reema no podía pasarse la hora que faltaba para el comienzo de la fiesta de compromiso de su hija discutiendo con Halawani por la tarta. Por el reguero de merengue amarillo que goteaba por la pared forrada de tela del inmenso vestíbulo, era obvio que el desastre era culpa de alguna de sus estúpidas empleadas, probablemente Rani, que al ir a coger la frágil torre de blando bizcocho y puntiaguda cobertura de azúcar glas se había tambaleado bajo el peso inesperado y la había lanzado contra la pared. ¿Qué les echaba Halawani a sus pasteles para que le salieran tan pesados? Por lo visto, cuanto más denso y sólido fuera el resultado, mejor. A Reema se le pasó por la cabeza que quizá debería haber encargado una tarta a Londres o, mejor aún, a París. Claro que, si era sincera consigo misma (algo que llevaba toda la vida evitando, ya que reconocer con franqueza los motivos del comportamiento propio solo servía para causar más problemas de los que su energía y su ánimo le permitían tolerar), tenía que admitir que no había creído que su hija lo mereciera. No en la cuarta petición de mano. Anteriormente ya se habían encargado, admirado y degustado tres preciosas tartas francesas, y lo único que había quedado al final era el amargo sabor de la anulación del compromiso. En cualquier caso, estaba segura de que esta vez el pacto se mantendría. Tenía la convicción de que Tala, con veintiocho años y dos carísimas licenciaturas estadounidenses a cuestas, había aprendido por fin la lección más importante de la vida: que el amor y los ideales no son verdaderos. A todo el mundo le gustaba creer lo contrario, y de hecho, a la propia Reema le encantaba leer historias de amor en los libros y verlas representadas en la televisión. Sin embargo, había razones poderosas para que la pasión y el romanticismo pertenecieran al terreno de la ficción, y Reema opinaba que esto es algo que se aprende con la madurez, cuando empieza a desvanecerse el ímpetu de la juventud. Durante la última semana había constatado, agradecida y contenta, que el rostro de su hija lucía una expresión serena y plácida muy poco habitual en ella. Pese a todo, Reema seguía sintiendo un nudo de angustia en medio del pecho. El problema era que Tala hacía siempre lo que uno menos se esperaba. Y si el pacto no se mantenía, si Tala cancelaba también este compromiso, el único y triste consuelo de Reema sería que al menos la tarta no le habría costado una fortuna.

* * *

Tala había observado sin pestañear cómo la tarta de compromiso terminaba emplastada contra la pared. Estaba en la galería del primer piso, acodada discretamente en la baranda, contemplando inmóvil y en silencio la agitación del vestíbulo. En medio de los preparativos, su madre y el pastelero habían empezado a discutir por la tarta destrozada. Tala vio cómo se complementaban sus gestos y movimientos y oyó cómo sus voces adoptaban un tono cada vez más quejumbroso e irritado. Rápidamente, dio media vuelta y entró en su habitación. Cerró con decisión la puerta empujándola con la espalda y se quedó un momento quieta, mirando a su alrededor, como si buscara un asidero. Paseó la mirada sobre el escritorio, el portátil, el trabajo, y al final se sentó para terminar de revisar el contrato que le habían enviado unas horas antes. El suave roce del bolígrafo sobre el papel le indujo una especie de calma, hasta que la interrumpió el sonido del móvil. Tala atendió la llamada, pero el lápiz siguió moviéndose sobre el papel.

—¿Qué te parece si nos fugamos directamente?

Tala sonrió al reconocer la voz de Hani.

—Entonces no me verías vestida de chica Bond —contestó burlona, y soltó una carcajada.

—¿Hay mucho lío con los preparativos?

Tala no contestó enseguida, porque acababa de encontrar tres errores seguidos en una sola cláusula.

—¡Tala! No estarás trabajando, ¿verdad? ¡Falta media hora para que empiece la petición de mano!

Tala dejó los papeles sobre la mesa y se reclinó contra el respaldo.

—Es mi primer encargo, Hani. Tiene que salir bien. Mi padre ya me está acosando para que vuelva a la empresa familiar.

—Saldrá bien —le aseguró Hani con una voz amable y seria—. Ya lo verás. Te quiero, Tala.

Tala sonrió al teléfono.

—Yo también te quiero, Hani.

Cuando su novio colgó, Tala permaneció un momento inmóvil, disfrutando fugazmente de una calma en la que pocas veces se permitía sumirse. Oyó la música que llegaba desde el jardín, donde la orquesta estaba haciendo las pruebas de sonido. Cerró los ojos y frunció el ceño, intentando distinguir la canción. Las notas de desamor y tristeza llegaban envueltas en una líquida voz de mujer, con una densidad que se derramaba como jarabe caliente sobre la melodía. Sus melismas e inflexiones, las conmovedoras pausas que hacía al remontar o descender una cadencia, eran claramente orientales, indiscutiblemente árabes, pero la voz viajaba impulsada por los ritmos flamencos de una guitarra y ascendía sobre la pulsación dolorosa e intensa de dos violines. Tala siguió escuchando unos momentos más, hasta que la orquesta interrumpió bruscamente las pruebas, y volvió a concentrarse en el contrato.

Reema lanzó una mirada al reloj de la cocina. Llevaba quince minutos intentando convencer a Halawani de que se llevara la tarta y solucionara el desastre, algo que el pastelero se negaba obstinadamente a hacer para que no se interpretara como una admisión de culpa por su parte (y así era como Reema lo habría entendido, evidentemente). Haciendo sonar los tacones de sus zapatos altos y forrados de terciopelo, Reema se marchó, dejando atrás las protestas de sus empleados y del pastelero, el estruendo de los micrófonos que la orquesta estaba probando en el jardín y el irritante nerviosismo de su marido, que estaba comprobando la disposición de los doscientos juegos de cubiertos de plata, y atravesó a grandes pasos las enormes baldosas de mármol que cubrían toda la planta baja de la mansión como la tez impecablemente lisa de una mujer. Cuando llegó a la amplia y curvada base de la escalinata, Reema comenzó a ascender los peldaños como si se despidiera de un centenar de admiradores. La ascensión de la teatral escalinata, suspendida sobre la vasta inmensidad del salón que se extendía a sus pies, era uno de sus pequeños placeres. Cuando llegó arriba giró a la izquierda (en el ala derecha estaban los aposentos de sus hijas) y recorrió veinte metros de pasillo antes de llegar a su dormitorio. La cama era de proporciones gigantescas y estaba adornada con una escogida selección de cojines de ante y de seda. A Reema le gustaba su aspecto romántico, que armonizaba con el papel pintado a mano de las paredes, la elegante caída de las cortinas y los mullidos sofás rosados que delimitaban la zona de estar. Consciente de la hora, Reema entró directamente en el vestidor, donde la esperaba el anhelado placer de un cigarrillo de tabaco fuerte.

Rani, el ama de llaves india, estaba de pie en mitad del vestidor, sosteniendo dos refulgentes vestidos de noche con los brazos en alto para que los bordes no rozaran la moqueta. No le era fácil, porque le faltaban por lo menos veinte centímetros para alcanzar la altura de Reema y de su ropa.

Reema se paró y miró con atención las dos prendas.

—Este —dijo al final, señalando uno de los vestidos con el dedo.

—Sí, señora.

Rani soltó los vestidos, aliviada. Le dolían los brazos.

—¿Dónde está mi café?

—Ahora viene, señora.

Reema se dirigió a la mullida butaca de terciopelo que había frente al enorme espejo de tres hojas, aplicó una fina boquilla negra a un extremo del cigarrillo, acercó la llama de un encendedor de alabastro al otro extremo y se sentó. Mirándose al espejo, decidió que su cara no estaba mal, al menos para ser una señora de cincuenta y cuatro años, madre de tres hijas. Suspiró al exhalar el humo del cigarrillo. Sabía que el abuso del tabaco le había ahondado las arrugas de los ojos y la boca, pero peor estaban sus compañeras del grupo de bridge (salvo Dina, pero todos sabían que tenía prácticamente en nómina a un cirujano plástico brasileño).

Rani reapareció cargada con una jarra de café fuerte y una tacita de plata. Lo dejó todo en la mesilla contigua a la butaca, sirvió el líquido oscuro y humeante y, mirando de soslayo la espalda de Reema, escupió silenciosamente en la tacita.

—Su café, señora.

Rani se acercó a su jefa, le tendió educadamente la taza de café y observó ansiosamente cómo Reema se la acercaba a los labios, pero solo para soplar un poco, intentando enfriar el líquido.

—¿Dónde está mi marido?

—En el jardín, señora.

—¿A Tala le quedaba bien el vestido? —preguntó Reema—. Ha comido mucho este mediodía.

—Le sentaba como un guante, señora.

Rani contempló cómo la taza bajaba y subía, mientras el líquido se enfriaba lentamente. «Haz que se lo beba», imploró. «Haz que se lo beba...»

—¿Y Lamia? ¿Le has estrechado la ropa?

Rani asintió.

—Dos centímetros, señora.

Reema cogió la taza, satisfecha, pero enseguida recordó a su hija menor. Rani tensó la espalda.

—Y a Zina, ¿le ha gustado el vestido dorado que elegí para ella? —La taza rozó los labios de Reema, dispuesta a dar el primer sorbo.

—Le ha encantado, señora.

El tono cauteloso que usó para disimular el sarcasmo de su respuesta solo sirvió para que Reema bajara otra vez la taza y le lanzara una mirada inquisitiva. Rani esbozó una gran sonrisa con intención de animarla, pero ya era tarde. Reema dejó la taza sin tocar en manos de su ama de llaves y empezó a maquillarse.

En cuanto Zina vio la tarta de la petición de mano de su hermana, sintió un impulso ciego de marcharse de Jordania y volver a Nueva York. La súbita agitación de sus piernas, el imperioso deseo de dar media vuelta y atravesar en silencio la casa y las enormes puertas dobles de la entrada, le resultaron casi incontenibles. Se imaginó afuera, andando cada vez más deprisa por la serpenteante carretera que atravesaba la finca de su propiedad y se adentraba en la región rural que la rodeaba. A la derecha, a lo lejos, vería el tentador centelleo de las luces de Amán, y si alzaba los ojos vería el blanco resplandor de las estrellas tachonando el cielo de ébano, vigiladas por la luna del desierto, fina como una cimitarra.

Zina se sentó al borde de la cama, enojada consigo misma por querer huir de la fiesta de Tala, pero sobre todo enojada con la tarta. Hasta que descorrió las cortinas de la ventana y vio aquel enorme pastel entrando en el jardín, había conseguido convencerse de que estaba contenta de estar en su país. En gran medida, esta falsa satisfacción había sido construida en contra de lo que realmente sentía, mediante artimañas psicológicas primarias. Sabía que tenía tendencia a sentir una romántica nostalgia por cosas como los jazmines, el olor de las berenjenas asadas, hasta los rostros envejecidos de sus padres, pero todo era un mero producto de la fantasía, un endeble entramado que pretendía ayudarla a resistir en aquel lugar una noche más, una semana más, un mes más, sin caer en la depresión. ¡Cobertura dorada! Por Dios, ¿quién demonios seguía usando cobertura dorada en repostería? Le daba a la tarta un aspecto metalizado, como si la hubieran rociado con pintura para coches, y lograba que resumiera todo lo que la irritaba de Oriente Próximo. Su aspecto alegre y artificial, su sabor probablemente tóxico.

Y luego estaba lo del vestido. Al pie de la cama yacía una afrentosa prenda de color oro. En el tirante, prendida con un alfiler, había una de las tarjetas de su madre, adornadas con purpurina. En la florida caligrafía de Reema, se leían las palabras: «Nada de negro. Es una petición de mano, no un funeral. Mamá». Zina se imaginó a su madre felicitándose a sí misma tras haber meditado durante una hora una frase tan hilarante. Desenganchó la nota con brusquedad y la tiró a la papelera. Mirando el vestido se dio cuenta con toda claridad (y no era la primera vez) de que su madre la odiaba. Le asomó a los ojos una lágrima de autocompasión, y al mismo tiempo tuvo la certeza de algo aún más grave: el vestido había sido elegido para hacer juego con la tarta. A Zina le pasó por la cabeza la imagen fugaz de una tarta anterior, una tarta de varios pisos de color esmeralda —¿en la primera petición de mano de Tala?—, tras la cual estaba su madre, un poco más joven que ahora, vestida con un traje verde brillante de Yves Saint Laurent y maquillada con una sombra de ojos a juego que no parecía tan vulgar teniendo en cuenta el exagerado estilo de la época.

Zina emitió un largo suspiro, intentando disipar la leve náusea que empezaba a sentir, y se esforzó conscientemente en no pensar en las otras tartas, las otras fiestas, los compromisos anulados, los novios entristecidos, las familias enfrentadas. Al cabo de menos de una semana estaría otra vez en la Universidad de Nueva York y tendría un mes para recuperarse del viaje, antes de regresar para la boda. De momento, empezó a tomar nota mental de las cosas que podían ayudarla a pasar la velada sin recurrir al sarcasmo ni al silencio hosco. En lo más alto de la lista estaba la decisión de no meterse en la boca ni un solo pedacito de aquella tarta. Si daba mala suerte, que la diera. Francamente, había comido tarta en otras tres ocasiones y ninguno de los compromisos se había mantenido. Enseguida pensó que quizá la buena suerte estaba precisamente en eso. Esbozó una sonrisa y entró en el cuarto de baño.

—¿Son siete milímetros?

Lamia, que buscaba un hueco en el espejo tras los anchos hombros de su marido, dio un paso adelante y examinó la regla con la que Kareem estaba midiendo la cantidad de pañuelo que le asomaba del bolsillo del esmoquin. Asintió con la cabeza, y Kareem soltó la regla y se dio la vuelta, satisfecho.

—Espero que esta sea la última fiesta de compromiso que organiza tu padre para tu hermana.

Lamia trató de concentrarse en su imagen reflejada en el cristal del espejo. Se recolocó el collar, contenta de cómo realzaba el elegante tono zafiro de su vestido de noche. Pero Kareem se había puesto a hurgar en los armarios inmaculadamente ordenados, comprobando que los extremos de las corbatas estaban alienados y recolocando las perfectas hileras de calcetines, y la ponía nerviosa.

—¡Pobre hombre! —insistió Kareem, chasqueando la lengua.

—A él no le importa —intervino Lamia.

—Claro que le importa, pero es tan bueno que no lo demuestra. ¡Que una persona de su categoría tenga que pasar esta vergüenza!

Lamia cerró un poco los ojos, lo justo para amortiguar la voz de su marido. Volvió a abrirlos y lanzó una sonrisa a su imagen reflejada, antes de volverse hacia Kareem.

—¿Cómo me queda? —preguntó.

Kareem repasó la silueta de su mujer con sus ojos de largas pestañas y, durante un instante fugaz pero dichoso, Lamia fue consciente de su propia belleza.

—Podrías taparte un poco los hombros.

—No hace frío —dijo Lamia, bajando la vista.

Kareem cogió un chal del armario y se acercó a su mujer.

—Vas muy descocada.

La música, sobre la que se oía el parloteo de los invitados, siguió fascinando a Tala mientras bajaba al jardín, que en vistas a la celebración nocturna había sido adornado con centenares de antorchas y lámparas que creaban un vasto círculo de luz alrededor de las carpas y las mesas elegantemente dispuestas. Más allá se extendía un lujoso césped (Reema se había empeñado en instalar un carísimo y avanzado sistema de riego que permitía cubrir de vegetación el terreno desértico), salpicado de fuentes, senderos y alguna escultura antigua cuidadosamente iluminada para la ocasión. Tala se detuvo en la parte que quedaba en penumbra y miró en derredor. Había velas que arrojaban una luz suave y tamizada, y la música que llegaba en oleadas sobre un fondo de conversaciones. Había vestidos de telas elegantes y cortes exquisitos que envolvían cuerpos altos y esbeltos; había joyas que resplandecían sobre pieles aceitunadas. Había camareros y camareras con impolutos uniformes en blanco y negro que se movían con resolución entre las invitadas de vestidos coloridos y los invitados de esmoquin. Tala sabía que sus padres habían tirado la casa por la ventana. Al principio la había sorprendido que se atrevieran a organizar otra fiesta teniendo en cuenta su historial, pero enseguida se dio cuenta de que su madre pensaba utilizar la cuarta y definitiva petición de mano para hacer olvidar toda la vergüenza que habían acarreado las tres anteriores. Reema había montado una fiesta con la que pretendía recabar el apoyo de la familia hacia su hija mayor y anunciar a todo el mundo que el último prometido era aún mejor que los tres ricos herederos con los que Tala había salido hasta entonces, porque Hani era un joven culto y apuesto, además de palestino, cristiano y adinerado. Tala se entretuvo un momento en las estribaciones de la fiesta, sin ganas de bailar, hablar ni mezclarse con la gente, y miró en derredor con los ojos entrecerrados, de modo que el azul líquido y oscuro del firmamento, en el que destacaban el fino dibujo de la luna y el resplandor de las estrellas, quedó rodeado por una parpadeante línea de luz de las velas.

El tío Ramzi vio a su sobrina antes que nadie y la arrastró hacia un grupito de invitados. Las mujeres besaron a Tala y comentaron las sobrias líneas de su vestido con una efusividad que le hizo comprender que lo desaprobaban, y los hombres la felicitaron sonrientes. Los jóvenes llevaban el pelo pulcramente engominado y, como sus padres, sostenían grandes vasos de whisky. El tío Ramzi fumaba un Montecristo que parecía un torpedo.

—¡*Ammo* Ramzi! —exclamó Tala, abrazándolo—. ¡Te has atrevido a subir a un avión!

Ramzi la apartó y la miró muy serio.

—¿Avión? Ya sabes que no he vuelto a subir a un avión desde aquel sueño que tuve. —Dibujó con su ancha mano la trayectoria de un avión estrellándose y cabeceó con tristeza—. ¡El accidente! ¡La catástrofe!

—*Ammo*, eso lo soñaste en 1967.

—Justo después de la Guerra de los Seis Días —precisó Ramzi—. ¡Israel tiene mucho que decir! —Este comentario suscitó murmullos cómplices entre los invitados que los rodeaban, mientras Ramzi añadía que por nada en el mundo se habría perdido la fiesta de su sobrina.

—Quería conocer al hombre que la ha convencido... una vez más.

Se oyeron risas ahogadas, y Tala contempló el coro de invitados y advirtió la nerviosa expectación que suscitaba. La última vez que había roto un compromiso de matrimonio lo había hecho en la fiesta de petición de mano, escandalizada con la actitud prepotente y machista que había adoptado su novio delante de sus familiares y amigos. Aunque su instinto la impulsaba a responder con una broma a la curiosidad de los invitados, de pronto no supo qué decir. Miró automáticamente al lugar donde había visto antes a su padre, en busca de su apoyo silencioso, pero él, incapaz como siempre de estarse quieto, se había alejado y estaba dando órdenes a unos camareros de esmoquin para que cambiaran la colocación de las antorchas alrededor de las mesas. Hacía una noche fresca después de un día de calor asfixiante, y a medida que pasaran las horas iría soplando un aire cada vez más frío. Tala vio a su hermana pequeña entre el círculo de invitados. La mirada seria de Zina, en la que chispeaba un fondo de ironía, la ayudó a serenarse.

—Lo quiero, *ammo* —dijo, volviéndose hacia su tío.

—Claro que lo quieres. Es cristiano y tiene dinero.

—Es amable, sincero y valiente. Y guapo —añadió Tala, para mitigar la insolencia que habría transmitido su frase inicial.

Su tío sonrió, y al mismo tiempo inclinó la cabeza para aceptar la copa de champán que le tendía un camarero. Tala vio que los ojos de Ramzi observaban con complacencia el semblante del joven que le acercó la copa.

—Está bien que sea guapo, cariño, pero pregúntale a tu tía por qué se casó conmigo. La belleza y el carácter vienen y se van... la riqueza es lo único que perdura.

Su comentario fue recibido con risitas por parte de los hombres e impostados gestos de desaprobación por parte de las mujeres, la mayoría de las cuales, como bien sabía Tala, no se habían casado por amor sino por dinero.

—Eso parece —contestó, y los invitados, sin saber si debían interpretar esta respuesta como un insulto, cosa que era en realidad, se quedaron desconcertados, aunque ninguno lo demostró. Se limitaron a reír públicamente y a felicitarse íntimamente por que sus hijas no fueran tan bocazas y sabihondas como las de Reema y Omar.

Cumplidos los deberes familiares con su tío, Tala se despidió del grupo y se alejó en busca de Zina.

—Estás espectacular, *habibti* —la saludó su hermana pequeña.

—Gracias. Ojalá pudiera decir lo mismo —contestó Tala, lanzando una ojeada al vestido dorado de su hermana.

Zina bajó la vista hacia el vestido, avergonzada.

—Ya ves, creo que he encontrado las armas de destrucción masiva que buscaban los americanos. Estaban ocultas bajo la apariencia de mamá y de Lamia. Ojalá hubieras venido antes de Londres... —suspiró—. ¿A quién se le ocurre presentarse la noche anterior a la petición de mano?

—Estaba trabajando, Zina.

Tala había usado un tono de confidencia, y Zina le oprimió la mano en un gesto animoso y comprensivo. Se sintió más tranquila, reconfortada por la conversación con su hermana. A veces lamentaba que Tala y ella hubieran vivido en diferentes países en los últimos quince años. Mientras Tala estudiaba en un internado de Suiza, Zina vivió con sus padres en Amán, y cuando siguió los pasos de Tala y de Lamia y entró en el mismo centro, sus dos hermanas mayores ya estaban en la universidad. Quizá durante la última semana había cultivado una clase de nostalgia equivocada.

—¿Estás ilusionada con la boda? —preguntó Zina.

Tala le lanzó una mirada sarcástica.

—¿Te refieres a los arreglos florales, el menú y los anillos? ¡Me muero de ganas de verlos!

—Entonces, ¿por qué te casas? —preguntó Zina, sonriente. Sus ojos y el tono de la pregunta tenían un leve matiz humorístico.

—¿Y qué querías que hiciéramos, Hani y yo? —preguntó Tala—. ¿Irnos a vivir juntos?

—El mundo avanza.

—No en Amán. Hace demasiado que vives en Estados Unidos. Los seis meses que llevo con Hani son el período más largo que puedo permitirme sin un anillo.

Zina le lanzó una mirada reflexiva.

—Podrías abrir nuevos caminos.

—¿Para que los aprovechéis Lamia y tú? —Tala rió.

—¿Lamia? —Zina soltó un bufido—. Ella vive un siglo por detrás de nosotras.

Las dos se volvieron instintivamente hacia su hermana, que se dio cuenta de que la miraban y se les acercó.

—Mamá dice que tienes que atender a los invitados —dijo, mirando a Tala.

—Sí, Tala, a estas altura ya deberías conocer el protocolo de las peticiones de mano —se burló Zina, riendo.

—No tiene gracia —opinó Lamia.

Zina miró a Lamia con toda la rabia que había acumulado desde que se había visto obligada a ponerse aquel afrentoso vestido.

—Eso es porque tú no tienes sentido del humor.

Tala suspiró. Frente a ellas, el agua de la piscina resplandecía gracias a los focos interiores, que iluminaban el delicado arabesco de mosaico de las paredes. Alrededor había un círculo de mesas cubiertas de manteles blancos que se prolongaba radialmente por el césped, y más allá, numerosos parterres y jazmines hacían guardia y perfumaban el aire con su fragancia.

—Ahí está Hani —exclamó Lamia.

Tala y Zina siguieron la mirada de su hermana. A esa distancia no era fácil distinguir a Hani entre el grupo de parientes que lo rodeaban, porque llevaba un peinado y un traje muy similares a los de ellos y parecía muy cómodo recibiendo felicitaciones, apretones de manos y palmadas en los hombros. Pero Tala se dio cuenta de que su novio alzaba la cara cada vez que podía para buscarla con la mirada, y cuando sus ojos se encontraron, la expresión serena de Hani la tranquilizó.

—Eres afortunada, Tala —dijo Zina.

—Lo sé.

Tala se acercó a Hani, aspiró con placer el familiar aroma de su piel y su ropa y se fundió con él en un largo abrazo.

Solo el clamor de los aplausos que estallaron en torno a ellos la devolvió a la conciencia de sí misma.

—¿Has bebido algo? —le preguntó Hani, dándole la mano. Tala le acarició el pelo y él cogió dos copas de la bandeja de un camarero que pasaba.

—Toma —dijo, sonriente—. Por ti y por mí. Por nosotros, Tala.

Tala hizo chocar su copa con la de él.

—Por nosotros, Hani.

Tala oprimió la mano de su novio y se volvió a escuchar a la joven que cantaba. Estaba en una tarima especial instalada al otro lado de la piscina, suficientemente alejada de los asistentes para parecer un ángel solitario que difunde su mensaje en vano. Tala la escuchó cantar, consciente solamente de la música y de las pulsaciones del corazón en sus oídos, de un corazón que había empezado a notar como una presencia física en medio del pecho, henchido de emoción, en un acceso de sentimentalismo que no sabía si atribuir a la felicidad o a la tristeza.

Capítulo 2

Londres

Eran las cuatro y media de la tarde de un viernes, ese momento sagrado en una silenciosa oficina de la periferia de la capital británica, cuando el fin de semana que se ha estado acercando con discreción está por fin a la distancia suficiente para que su espera resulte más agradable que angustiosa. Leyla estaba impaciente por que llegaran el sábado y el domingo, más entusiasmada ante la perspectiva de liberarse de la oficina, con su ventana de cristal empañado por la lluvia y el resplandor tristón de sus tres fluorescentes, que por cualquier actividad que tuviera planeada. El color del cielo que cubría Surrey hacía juego con el monótono gris de las paredes, que no mejoraba demasiado con las fotografías y los cuadros que había colgado hacía tiempo. Leyla tomó un sorbito del té ya frío y abrió el cuaderno. Se le había ocurrido una frase al apartar la mirada de los fluorescentes del techo y contemplar el cielo acerado y quería anotarla antes de que se le olvidase. Así lo hizo, y después se entretuvo un momento cerrando la hoja de cálculo en la que había estado trabajando, antes de animarse a releer lo que había escrito. Inclinó la cabeza, complacida. Había algo bueno en el hecho de trabajar todo el día con números: por la noche no daba abasto apuntando las palabras que se le agolpaban en la cabeza. En los últimos seis meses había casi terminado una primera novela, y había descubierto con sorpresa que le gustaba lo que había creado. Al principio le había parecido un acto presuntuoso poner por escrito los cúmulos de palabras que le asaltaban el pensamiento, y tampoco se atrevía a imaginar las horas que dedicaba a escribir, esos momentos con la conciencia separada de las formas regulares y sencillas del mundo que la rodeaba, como una forma de vida que algún día pudiera llegar a ocupar toda su jornada.

—¿Te vas antes de tiempo? —le preguntó su padre con una sonrisa.

Pasaban más de sesenta minutos de la hora de salida, y él acababa de verla atravesar en silencio el aparcamiento al aire libre al que daba la ventana de su despacho. A Sam no le importaba tener como paisaje cotidiano dos Mercedes, un Volvo, un Toyota y dos Ford Fiesta; de hecho, le gustaba ver la afluencia de personas que entraban y salían. A Leyla, en cambio, tan cerca de la libertad del viernes, le resultó especialmente duro oír el consabido golpecito en el cristal y tener que volverse y entrar otra vez para saludar a su padre.

—No es antes de tiempo —dijo Leyla, con una rápida sonrisa—. Son las seis. De hecho, me debes una hora extra.

Sam rió. Su despacho era grande y estaba equipado con una impresionante mesa de reuniones que nunca se usaba porque no había nadie que se reuniera y con un escritorio de caoba suficientemente grande para no desentonar con su cuerpo grande y macizo. Se reclinó contra el respaldo de la butaca de cuero, apoyando la nuca en las manos entrelazadas, y dijo con calculada indiferencia:

—Algún día todo esto será tuyo y de Yasmin, ya lo sabes.

Era una broma familiar, y Leyla sonrió, aunque notó una punzada de angustia en el estómago.

—Pero no prosperará si no hay ventas —continuó Sam.

—Ya sabes que no se me da bien vender, papá —empezó a decir Leyla, con un tono demasiado vacilante y poco animoso. Odiaba decir cosas que desilusionaran a su padre, lo cual, al mismo tiempo, la reafirmaba en la idea de que no era una buena vendedora.

—No vendes seguros de vida —la tranquilizó su padre.

—Ya lo sé, ya lo sé —contestó Leyla—. Es algo que se vende solo.

—Exacto. —Sam sonrió, señalándola con el dedo. Había que reconocer que era un encanto—. El mundo de los seguros de vida es una apuesta segura —continuó—. Todos sabemos que tenemos que morirnos.

Leyla dejó en el suelo el cuaderno, la cartera y el abrigo. Los había estado aferrando como si fueran un talismán, esperando que indujeran mágicamente en su padre la idea de que tenía prisa por volver a casa, pero no podía seguir negando la verdad: su padre llevaba un día entero clavado detrás del escritorio, enfrascado en tareas burocráticas que odiaba y que lo dejaban ansioso de contacto humano, de alguien que lo escuchara. Leyla recordó aliviada que tenía una excusa irrebatible para escapar, pero vio a su padre tan animado, que no se atrevió a jugar de momento esa carta.

—¿Te crees que a mí me gusta vender? Pues te voy a informar: no me gusta.

Era una mentira clamorosa, descomunal. Al padre de Leyla le apasionaba vender, y además se le daba muy bien. Se pasaba el tiempo vendiendo cosas, incluso en casa. Le encantaba preguntarles a sus hijas si preferían acompañar el pollo al curry con pan indio o con arroz, asegurándose así de que aceptarían el plato sin rechistar. Era el principio de la limitación de opciones, según explicaba. Nunca le preguntes a un posible cliente si puede atenderte: pregúntale a qué hora le va mejor que pases. Como noción psicológica era interesante, pero en las escasas ocasiones en las que Leyla la había puesto a prueba, aunque fuera solamente para llamar al técnico de la fotocopiadora, la estrategia no había funcionado. «¿Cuándo le va mejor pasar, esta mañana o esta tarde?», decía con jovialidad, pero la única respuesta que obtenía era que la atenderían como muy pronto al jueves siguiente. Estaba convencida de que la forma de abordar al cliente era solo la mitad de la batalla, ya que para ser buen vendedor había que poseer además dosis ingentes de aplomo, de confianza, de jeta. Sintió una repentina oleada de admiración al pensar que su padre había encontrado en su negocio una pasión que lo llevaba a mostrarse ilimitadamente inventivo en las técnicas comerciales, a derrochar un permanente entusiasmo y a alcanzar el éxito.

—Yo no vendo nada —repitió Sam—. Solo le pregunto a mi cliente si algún día se va a morir, ante lo cual no hay más que una respuesta posible. Y a continuación le pregunto: «¿Está usted cien por ciento convencido de que su mujer y sus niños estarán bien atendidos durante lo que les reste de vida?» —Calló un momento para reforzar la tensión dramática—. ¿Y sabes qué? Siempre se quedan sin saber qué decir, y al final —añadió, golpeándose la palma de la mano con un puño enorme—, ¡ya son tuyos!

Leyla carraspeó. Dicho así no parecía difícil, pero había dos problemas: el primero era muy difícil de soslayar, y el segundo tampoco era ninguna tontería. Se imaginó sentada frente a un posible cliente, probablemente el hijo de un próspero negociante de la periferia de Londres que en su momento habría sido cliente de su padre. Estarían sentados en la sala de estar, frente a sendas tazas de té. Charlarían durante unos momentos de banalidades (otra cosa que se le daba mal), y entonces tendría que plantear el tema. Intentó hacerlo mentalmente, pero lo único que vio fue la cara sorprendida del otro cuando ella dijera con convicción que algún día tenía que morir. Lo estaba viendo: se enfadaría, se entristecería, se pondría a la defensiva... Intentó pasar al siguiente punto, el más importante, la cuestión de si la mujer y los hijos del cliente estarían bien atendidos. Se quedó completamente en blanco, y el salón forrado de tela desapareció de su imaginación, dejándola con una cadena de palabras. Advirtió con alegría que, sin haberla buscado, acababa de encontrar la frase inicial del siguiente capítulo de su novela. Lanzó una mirada instintiva al cuaderno que tenía a los pies y a continuación alzó la cara hacia su padre.

—Podría ocuparme de la parte administrativa del negocio —propuso—. Como hago ahora.

—La parte administrativa es lo de menos —contestó Sam—, lo único que importa son las ventas. Las ventas son las que traen el dinero.

Tenía razón, evidentemente. De hecho, aquel sermón vespertino sobre las alegrías de la actividad comercial formaba parte de una formación mucho más amplia, titulada: «Cómo ocuparse del negocio familiar». La hermana de Leyla se había saltado alegremente este curso porque después de licenciarse había sido seleccionada por una ONG para colaborar durante dos años en Kenia. Aunque había vuelto hacía poco, había rechazado rotundamente la propuesta de Sam de incorporarse al negocio y se había empeñado en trabajar para un servicio de comidas a domicilio con la idea de abrir más adelante su propia empresa, inspirada después de estar dos años a base de cordero guisado y pasta hervida, sin una sola oportunidad de probar unos *gnocchi*, un poco de hierba limonera o un salmón ahumado. A su padre le desilusionó un poco comprobar que, tras pasarse tres años estudiando Relaciones Internacionales en una de las mejores universidades británicas, su hija había acabado trabajando de camarera.

—He quedado con Ali —dijo Leyla, intentando disimular su ansiedad con un gesto despreocupado, como si acabara de recordar la cita.

Tal como imaginaba, el anuncio frenó en seco la campaña de reclutamiento comercial. Su padre alzó las cejas y comentó:

—Qué bien. ¿Adónde vais?

—A la ciudad. Vamos a ver a una amiga suya y después a cenar.

—Es viernes, ya sabes. Tu madre y yo iremos a la mezquita.

—Papá, creo en nuestra religión, ya lo sabes, pero no me gusta ir adonde va todo el mundo. —No le resultaba fácil imponer su punto de vista y había varios ámbitos en los que prefería callar para evitar conflictos, pero en ciertas cuestiones sabía que tenía que mantenerse firme para no terminar completamente dominada.

—Y si no vas adonde van los demás, ¿cómo van a saber ellos que eres una buena musulmana?

Leyla rió al oír la respuesta de su padre.

—Anda, vete —le dijo Sam—. Y no vuelvas tarde.

—¡Tengo veintitrés años, papá!

Su padre la miró.

—Ya lo sé —dijo cariñosamente.

Leyla recogió el abrigo, las llaves, el bolso y el valioso cuaderno y se dirigió hacia la puerta.

—No volveré tarde —dijo antes de salir, con el remordimiento agazapado en la boca del estómago.

La entristecía no estar a la altura de los mesurados ideales de su padre, y la entristecía que la brillante frase que se le había ocurrido hacía un momento se hubiera perdido para siempre.

Para Leyla, Londres tenía una elegancia cosmopolita que resultaba especialmente patente cuando uno se había criado en la tranquilidad de la periferia y solo lo visitaba de vez en cuando. Subieron al coche de Ali, de líneas deportivas y color metalizado, y se encaminaron a Hyde Park para ir a Mayfair. El sol poniente había bajado tanto que había logrado escapar de la capa nubosa que lo había mantenido oculto durante todo el día y se derramaba sobre las copas de los árboles como un reguero de oro líquido. Los jirones de nubes que lo flanqueaban estaban veteados de tonos rojizos y rosados.

—¿Lo has preparado para mí? —preguntó Leyla.

—¿El qué? —preguntó Ali, mirando por la ventanilla del lado de Leyla.

Leyla señaló al exterior, disimulando el asombro que le producía ver que Ali no se había fijado en la luz que brillaba tras la ventanilla.

—La puesta de sol —explicó.

Ali volvió a mirar y sonrió.

—Ah, sí. Qué bonita.

Aparcaron junto a una farola recién encendida que emitía una luz amarillenta y caminaron junto a las elegantes fachadas de los edificios antiguos, que resplandecían bajo la luz crepuscular. Los retazos de vidas ajenas atrajeron la mirada de Leyla a las ventanas. Había techos altos y lámparas fulgurantes; en un recuadro atisbó a dos camareros disponiendo una larga mesa; en otro, el suave resplandor de una chimenea jugueteando sobre las butacas en las que dos miembros de un club privado leían el periódico.

—¿De qué conoces a Tala? —preguntó Leyla mientras caminaban.

—Su primer prometido era mi mejor amigo en la universidad. La conocí por él.

—¿Su primer prometido? ¿Cuántos ha tenido?

Ali sonrió.

—Va por el cuarto.

—¡Cuatro!

Aplicada a los compromisos de matrimonio, la cifra resultaba tan excesiva que Leyla se quedó un momento boquiabierta.

—Es un chico muy simpático, nacido en Jordania. Creo que con este la cosa cuajará, y entonces ella pasará más tiempo en Jordania y menos en Londres. Su familia tiene casas en los dos sitios.

—¿Y dónde trabaja tu amiga? —preguntó Leyla.

—Siempre ha trabajado con su padre en la empresa familiar, pero ahora está intentando montar un negocio por su cuenta en Londres, con proveedores palestinos. Su familia es originaria de Palestina.

—¿Refugiados? —preguntó Leyla, sorprendida.

Ali rió.

—Supongo que todos los palestinos lo son, pero ellos tuvieron suerte. Tenían un negocio en Jordania antes de que Palestina desapareciera del mapa, así que salieron mejor parados que los demás.

Habían llegado frente a la puerta principal de una imponente casa estucada de blanco y Ali llamó a la campanilla. Su mirada se cruzó con la de Leyla, que se estaba alisando las arrugas de la blusa.

—¿Qué te pasa? —preguntó Ali—. ¿Estás nerviosa?

Leyla asintió y Ali le acarició la mano para reconfortarla.

—Tala es genial. Te encantará, créeme.

Leyla pensó con extrañeza que, a pesar de que habían ido a ver a Tala, la amiga de Ali, de momento solo habían visto a sus padres. Se reclinó contra el respaldo de la elegante silla de anticuario, atenta y cortés, sosteniendo un frágil vasito de borde delicadamente dorado, que contenía un té ambarino y dulzón en el que flotaban hojas de menta. Leyla dio un sorbito mientras observaba a los padres con interés, sobre todo a la madre, porque tras una semana trabajando en el ambiente serio, anodino y a menudo aburrido de la oficina de Surrey, Reema le parecía una persona bastante estrafalaria. Mientras el padre de Tala y Ali se enfrascaban en una conversación de negocios, Reema insertó un cigarrillo en una boquilla exageradamente larga y le prendió fuego con un pequeño encendedor en forma de palmera que emitió una llama grande como un volcán. A continuación hubo un momento de silencio durante el cual Leyla siguió tomando sorbitos de té mientras Reema disfrutaba tranquilamente de su primera y profunda inhalación de nicotina, antes de volverse otra vez hacia la invitada y soltar una bocanada de aromático humo que flotó en la habitación.

—¿Y cuánto hace que sales con Ali?

—Unos dos meses —dijo Leyla tras una pequeña vacilación. En realidad, el tiempo que llevaba con Ali se diluía en un bloque más importante de su vida que le costaba concretar.

La mirada de Reema escudriñó a Leyla.

—¿Y bien? ¿Se va a casar contigo?

Leyla rió, desconcertada.

—No lo sé.

De hecho, sospechaba que Ali sí estaba interesado en casarse con ella. No había llegado a esta conclusión porque él demostrase ninguna emoción profunda, sino porque sus amigos y familiares, la comunidad en general, daban por sentado que el amigo de Leyla había decidido «sentar la cabeza». Y como eran de la misma religión, y además Ali tenía la ventaja de tener dinero, buenas perspectivas profesionales y simpatía personal, habría sido inconcebible decirle que no cuando le propuso que salieran. La propia Leyla consideró poco razonable negarse la primera vez, aunque le sorprendió que se lo pidiera. Ella no era sociable, y carecía del entusiasmo necesario para aceptar otras invitaciones más fugaces. Estaba en forma (muchas mañanas salía a correr por los alrededores de su casa), y por lo tanto tenía un cuerpo esbelto, pero comprar ropa le parecía una actividad angustiosa y aburrida y por eso nunca tenía el atuendo apropiado para la situación, aunque se las arreglaba con las pocas prendas de calidad que tenía y con lo que su hermana Yasmin le prestaba. Cuando vio que Ali continuaba llamándola, se le ocurrió que quizá veía su habitual desaliño como una atractiva muestra de naturalidad. Por su parte, Ali resultó ser un chico culto e inteligente, deseoso de aprender, viajero y generoso, y después de unas semanas saliendo con él, a Leyla ya no le resultaba indiferente, aunque solo en el plano amistoso; como amigo, le había tomado mucho cariño. Cabía la posibilidad de que Ali quisiera fundar un matrimonio basado en esta amistad, pero no era el caso de Leyla. Sin embargo, habían continuado saliendo de vez en cuando porque, a pesar de sus sospechas, Leyla no quería cometer la presunción de dar por sentadas las intenciones de Ali, y por lo tanto no podía sacar el tema del matrimonio mientras él no lo hiciera. De momento seguían siendo buenos amigos, y Leyla procuraba no pensar en el hecho de que parecían avanzar en direcciones opuestas.

—La semana pasada celebramos la petición de mano de Tala en Jordania. Fue la mejor fiesta que se ha hecho en Amán en años —recordó Reema con una sonrisa—. Tala es mi hija mayor. La mediana, Lamia, se casó al terminar la universidad. Pero claro, es muy guapa.

Leyla titubeó, sin saber si había interpretado correctamente el comentario, lo cual dio tiempo a Reema para soltarle otra pregunta:

—¿A qué se dedica tu padre? —dijo, dando otra ávida calada al cigarrillo.

En ese momento se oyeron unos pasos que atravesaban apresuradamente el vestíbulo. Leyla se imaginó a una joven morena, rica y bien vestida, con un peinado, unas uñas y un maquillaje impecables, subida a unos tacones altísimos y cargada de joyas, pero la que entró fue una mujer alta y vestida con vaqueros, que saludó a Reema con una inclinación de la cabeza.

—Deja de interrogar a esta pobre chica, mamá.

Leyla se levantó rápidamente y vio cómo Ali daba un gran abrazo a su amiga, y cuando Tala se volvió hacia ella, le tendió la mano en un gesto amable pero formal. Tala se le quedó mirando la mano con expresión divertida, antes de inclinarse para darle dos besos en las mejillas. Leyla sonrió y correspondió al gesto, intentando no mostrar su incomodidad. Nunca sabía cuándo había que saludar con un beso y cuándo con un apretón de manos. Todo el mundo parecía elegir sin dificultades el saludo más adecuado para cada persona; debía de haber ciertas peculiaridades del lenguaje no verbal que ella no acababa de dominar, o quizá era su reserva innata, que la conducía a alejarse, más que a acercarse. Tala sonrió al ver su indecisión.

—Siento alterar tu reserva británica —dijo—, pero en Oriente Próximo nos saludamos siempre con dos besos. —Hizo una pausa y se inclinó hacia ella en un gesto cómplice—. Justo antes de lanzarnos a la yugular...

Leyla sonrió y contempló a la joven que había frente a ella. Tala llevaba una camiseta ligera, con un escote que dejaba a la vista una sencilla cadenita de oro. Tenía las uñas cortas y sin pintar, y sus zapatos estaban impecables, pero eran planos y prácticos. El pelo rizado y alborotado le daba cierto aire de locura, como si los pensamientos le escaparan de la cabeza a través del cuero cabelludo. Leyla se dio cuenta de que no había disimulado su sorpresa porque Tala la miró divertida.

—No eres como me imaginaba —explicó Leyla, pronunciando la más coherente de las frases que se le agolpaban en la cabeza, y cerró los ojos un momento para no resultar tan transparente.

—Eso es porque Ali me pinta como a una princesita malcriada —contestó secamente Tala.

—¿Y no es así? —preguntó Ali, con cariñosa sorna.

—No soy una princesita —contestó Tala con una sonrisa.

—Pero sí una malcriada —observó su padre, completando la broma que Tala le había servido en bandeja.

Tala sonrió y se sentó directamente en el suelo, rechazando con un gesto la invitación a ocupar una de las butacas. Su mirada volvió a escudriñar a Leyla.

—Y tú, ¿eres como mi madre se imaginaba? Desde el pasillo se la oía aplicarte el tercer grado.

Reema carraspeó dispuesta a defenderse, puesto que iba a ser necesario esa noche, visto el comportamiento de su hija. Aunque hubiera invitados, Tala tenía una tendencia a obviar las filigranas de la cortesía social que resultaba bastante inconveniente, además de incómoda.

—No lo sé —contestó Leyla, mostrando una falta de sentido del humor que enseguida lamentó.

—Solo le estaba dando conversación, mamá. —La madre de Tala se dirigió a su hija al estilo árabe, empleando su propia categoría familiar—. Es una chica muy simpática.

Mientras hacía esta declaración, Reema volvió a clavar la mirada en Leyla y analizó sus rasgos regulares, su pelo negro y brillante (aunque debería ir más a menudo a la peluquería) y su aceptable figura, aunque estaba claro que la muchacha no sabía hacerse valer. Parecía agradable, aunque le faltaba quizá un poco de lustre, pero aún había que dilucidar el asunto de la ocupación de su padre.

—¿Cuántas personas trabajan en la empresa de tu familia? —preguntó Reema, calibrando sutilmente la envergadura de la cuestión.

—Una de cada tres —bromeó Leyla. Tenía la costumbre de hacer chistes cuando la invadía la timidez, aunque enseguida lo lamentaba.

Reema la miró sin comprender, y solo el hecho de que se enfrascó de nuevo en el ritual del cigarrillo evitó que Leyla se derritiera de vergüenza. Sin embargo, Tala rió.

—Aquí somos diez —precisó Leyla—, y en África hay otra decena. Tenemos un par de oficinas allá.

—¡Una multinacional! —exclamó Reema, mirándola complacida.

Mientras sonreía educadamente a Reema, por la cabeza de Leyla pasó una imagen claramente exagerada del negocio familiar como una compañía internacional.

—No le hagas tantas preguntas, mamá —dijo Tala—. Se va a casar con Ali, no conmigo.

Todos rieron, pero bajo el maquillaje que cubría la cara en tensión de Reema, sus mejillas se tiñeron de rojo. Había sido solo un comentario frívolo, pero la alusión de Tala a la posibilidad de casarse con aquella chica, la descarada sugerencia de que dos mujeres podían unirse, la había puesto muy nerviosa. Reema cogió de nuevo la palmerita en miniatura y esperó que la nueva dosis de humo la tranquilizase.

—He sabido que vas a casarte —intervino Leyla—. ¡Enhorabuena! Es una gran noticia.

Reema se recostó contra el respaldo de la butaca y decidió que al fin y al cabo le caía bien la tal Leyla.

—Puedes venir a la boda, si quieres. Es dentro de seis semanas —propuso Tala—. ¿Conoces Jordania?

Leyla no había estado nunca en Oriente Próximo. Le hacía pensar en cielos estrellados y en paisajes cubiertos de dunas (dos imágenes sacadas de los anuncios de Delicias Turcas de los años setenta). También le hacía pensar en oscuras y profundas miradas ocultas tras un velo, en cafés con aroma de cardamomo y en románticos zocos. Intentó transmitirle esta impresión a Tala con el necesario toque de ironía, consciente de que Reema la estaba mirando de una forma extraña.

—El zoco de Amán es una porquería —la informó Tala—, pero si quieres puedo pedirle a alguien que te acompañe.

—Eres muy amable —contestó Leyla. Aunque no lo demostró, le sorprendió que Tala diera por sentado que aceptaría la repentina invitación a la boda—. Pero creo que no voy a poder ir, lo siento. Tengo que trabajar.

—¿Te gusta?

—¿El qué?

—Tu trabajo.

—Casi siempre —respondió Leyla tras una vacilación—. Básicamente, son cuentas y números.

—¿No es tu pasión, entonces?

Leyla no supo cómo responder a esta pregunta. Era la primera vez que se planteaba algo así. Observó los ojos castaños de Tala, vivos y atentos.

—No —contestó—. No es mi pasión.

Tala, aparentemente ajena a la impresión que causaba, cogió la bandejita de pastelitos bañados en jarabe que acompañaban el té y la pasó a los demás, tras lo cual se llevó uno a la boca.

—Vamos a cenar dentro de una hora, mamá —la reprendió Reema—. Y el vestido de novia no te permite engordar ni un milímetro.

—No pienso morirme de hambre durante las próximas seis semanas, mamá. —Tala cogió otra pasta y miró a Leyla—. ¿Te quedas a cenar?

—No sé, tenemos que... —Leyla miró a Ali, pero su amigo estaba hablando con el padre de Tala sobre la cadena de proveedores. Buscó rápidamente otra frase.

—¿Os casaréis en una mezquita? —preguntó, volviendo a los preparativos de la boda como un tema apropiado para la conversación intrascendente, pero vio que Reema fruncía el ceño.

—En una iglesia —la corrigió Reema.

—No todos los árabes son musulmanes —precisó Tala.

—Lo siento, no debería haber dado por supuesto que... —empezó a decir Leyla, pero Tala la interrumpió.

—¿Tú eres musulmana?

Leyla se preguntó, exasperada, si Tala no sabría hablar del tiempo. Irguió la espalda y respondió con un gesto de la cabeza. La silla de madera tallada que ocupaba le parecía cada vez más incómoda, y notaba que un acceso de energía poco habitual en ella le agitaba las piernas.

—¿Por qué? —preguntó Tala.

—Pero ¿qué pregunta es esa, mamá? —exclamó Reema—. Porque nació musulmana, simplemente.

—No es cierto —dijo Tala.

—¿Ah, no naciste musulmana? —preguntó Reema.

Leyla abrió la boca con vacilación y volvió a cerrarla, pero Tala no le dio tiempo a responder.

—Nació mujer y de una raza determinada —continuó Tala, dirigiéndose a su madre—. Y si la hubiera adoptado una familia judía, sería judía.

Reema se hundió en la butaca y exhaló una bocanada de humo, aliviada.

—Menos mal que no te adoptaron. ¡Solo faltaban más judíos en Oriente Próximo!

—¡Mamá, por favor! —Tala cerró los ojos, cabeceó y recostó la espalda contra la base del sofá.

En el vestíbulo, Rani, el ama de llaves, que siempre acompañaba a Reema cuando se trasladaba a Londres, empujó la puerta batiente de la cocina con su ancha espalda, porque tenía las manos ocupadas sosteniendo una bandeja de plata con un vaso de cristal lleno de agua. Se detuvo un momento en el pasillo en penumbra, escuchando los comentarios de Reema sobre política y religión, y escupió en el vaso. Después, inclinando respetuosamente la cabeza, echó un comprimido analgésico que empezó a borbotear dentro del agua.

Durante un momento, Leyla tuvo la impresión de que la habitación giraba a su alrededor. Para serenarse fijó la mirada en la llegada de la criada india, que traía una bandejita con un vaso de líquido efervescente.

—Su analgésico, señora —anunció Rani.

Leyla observó a la criada con interés, intentando distraerse de aquella conversación tan incómoda, pero constató que la mujer tenía una mirada maliciosa mientras observaba cómo Reema se llevaba el vaso a los labios.

—No me duele la cabeza —recordó de pronto Reema.

Rani contempló desolada cómo su jefa dejaba la bandejita a un lado.

—Pero son las siete, señora. Es la hora de su dolor de cabeza.

A pesar de la lógica de la respuesta, Reema la despidió con un gesto de la mano, y acto seguido se puso de pie y anunció que se marchaba. Tenía solamente tres cuartos de hora para retocarse el maquillaje y cambiarse para la cena. Desde el vestíbulo oyó el tono pontificador de Tala. Pensó para sí que su hija tenía suerte de haber encontrado a alguien que quisiera casarse con ella, sobre todo una joya como Hani.

—No has respondido a mi pregunta —dijo Tala.

—No soy judía —respondió Leyla con una sonrisita.

Tala rió.

—¿Por qué no?

—¿Por qué no lo eres tú?

—Yo no sigo ninguna religión —explicó Tala.

—¿Vives sin creencias? —preguntó Leyla, sintiéndose un poco más tranquila, más parecida a su padre. Esperó la respuesta, pero Tala se limitó a mirarla fijamente durante un momento.

—No es eso lo que he dicho —respondió al final.

Leyla apartó la mirada, desconcertada.

—¿Por qué te escandalizan mis creencias? —dijo.

—No me escandalizan —respondió Tala con una sonrisa—. Solo me interesa saber por qué no te escandalizan a ti.

Leyla ansió repentinamente tener tan solo una pizca del talento comercial de su padre. No debería haber permitido que la conversación llegara tan lejos. Él ya habría conseguido convertir al Islam a esa mujer de pelo alborotado que estaba sentada en el suelo.

—¡Vale! —exclamó, desesperada—. Fui educada para seguir esta religión, esta vía. ¿Tan malo es eso? —Leyla percibió en su voz un tono quejoso y defensivo que a ella misma le pareció desagradable.

—Sí —dijo Tala—. ¿Por qué no eres judía? Por el hecho de elegir una de las vías, das a entender que en ella hay algo mejor que en las demás opciones, ¿no?

—No tiene por qué ser mejor, es solo lo que yo prefiero —contestó Leyla.

—Pero ¿realmente preferiste el Islam? ¿O lo sigues porque es así como te educaron? ¿Cómo se sentirían tus padres si hubieras «preferido» el judaísmo?

—Es más que una preferencia —respondió Leyla, desesperada—. Es una cuestión de fe.

—¡Ya veo! —contestó Tala, sonriendo—. Una cuestión de fe. Así no hay crítica posible.

—Eres tú la que me está criticando.

—Y tú no has proclamado ninguna fatua contra mí —rió Tala—. ¡Te lo agradezco!

El viento frío de la noche londinense golpeó a Leyla en la cara en cuanto salieron de la casa. Ali le tendió la mano, pero el gesto no la reconfortó, no le transmitió ninguna emoción. Se sentía muy dolida, como si le hubieran hurgado en antiguas heridas y hubieran echado sobre ellas un chorro de agua salada. Alzó la mirada hacia las viejas farolas del parque, los bellos edificios de ladrillo cuyos interiores iluminados hablaban de vidas lujosas y cómodas, pero no obtuvo ni una pizca de consuelo, ningún bálsamo que aliviara la paliza mental que acababa de recibir.

—¿Te han caído bien? —preguntó Ali cuando subieron al coche.

—Sí, sí —contestó Leyla.

Estaba siendo sincera, por lo menos en parte. Pese a la angustia que sentía, estaba contenta de haber tenido aquella conversación, se sentía inspirada por las sencillas pero indiscutiblemente claras posibilidades que aquella mujer desconocida había desplegado ante ella, como quien presenta una bandeja de pastelitos. Pero también le produjo un enorme alivio acomodarse en el sillón de cuero del coche de Ali, cerrar la portezuela y encerrarse en aquel espacio pequeño y caldeado, con su amigo como única compañía.

Capítulo 3

Habían cenado los tres solos en un italiano de la vecindad. Omar conocía el restaurante de sus continuas visitas a Londres, y le gustaba porque los camareros eran eficientes y él no estaba hecho para esperar media hora entre plato y plato. A Reema le gustaba porque la luz era clemente con la tez de las señoras y los *spaghetti alle vongole* llevaban las almejas sin la concha (como debía ser), lo que le ahorraba la irritante labor de desprender la carne del marisco en la penumbra. Por su parte, Tala había tomado secretamente la decisión de no volver jamás a aquel restaurante. Estaba demasiado oscuro, y las sospechas que le había suscitado la rapidez con que los camareros servían los platos se confirmaron en cuanto probó la comida: nada estaba hecho al momento. Su padre comía demasiado deprisa para notar ningún sabor, y los años de abuso del tabaco habían deteriorado por completo las papilas gustativas de su madre. La compañía de sus padres no logró compensar su descontento con la comida. Al contrario, la sobremesa consistió básicamente en oír cómo Reema se explayaba sobre bodas, cotilleos familiares y (su nuevo tema predilecto) el proyecto de Tala de abrir un negocio propio. La insistente descripción de los requisitos necesarios para crear la empresa se basaba en datos recopilados veinticinco años atrás y por lo tanto no servía para nada, pero Reema se lo pasaba en grande igualmente. Omar escuchaba solo a medias, mientras se entretenía contando a los comensales del restaurante y calculando los minutos que transcurrían entre plato y plato (normalmente admitía un margen de diez minutos entre el primero y el segundo). Por lo tanto, Tala era la única encargada de atender el soliloquio de su madre y hacer alguna observación en los momentos pertinentes.

—Si vas a fabricar tus propios productos, deberías abrir una factoría en la India o en África —dijo Reema—. Elige un país pobre.

Tala miró con angustia a su padre, que justo eligió ese momento para ir al baño.

—¿Por qué? —preguntó, intentando mantener la compostura.

—Es evidente, mamá. —Reema suspiró, exasperada con la falta de perspicacia de su hija—. Allá se necesitan puestos de trabajo. Son gente fuerte, acostumbrada a trabajar duro. Por prácticamente nada, puedes tener una fábrica funcionando veinticuatro horas al día. ¿No están teniendo muchos problemas últimamente en Sudamérica? —Era una pregunta retórica—. Deberías intentarlo allí. Te serviría para practicar español.

Tala tuvo la impresión de que en su cabeza empezaba a extenderse una mancha de color rojo y cerró un momento los ojos. Podía ver, casi tocar, aquella mancha sangrante que poco a poco fue ocupando todo su campo visual, hasta que tuvo la certeza de que en cuanto abriera los ojos le pegaría un grito a su madre.

Abrió los ojos. Cogió el vaso de agua, dio un sorbo, volvió a dejar el vaso en la mesa y consiguió no gritar. Increíblemente, Reema seguía hablando.

—Ali nos ha contado que su abuelo tenía varias fábricas en la India, en todo el país. ¿De dónde creías que viene su fortuna?

—Tuvieron fábricas en la India porque se dirigían al mercado local —repuso lentamente Tala—. Y las abrieron allá porque era donde ellos vivían y trabajaban, no porque quisieran pagar una miseria a los pobres para explotarlos y enriquecerse todavía más.

Tala calló porque se dio cuenta de que estaba gritando, aunque usaba un tono moderado, adaptado a la estancia en restaurantes. Mientras tomaba aliento —solo un suspiro—, su madre aprovechó para controlar de nuevo la conversación, como si no hubiera oído nada de lo que había dicho su hija.

—En la India puedes comprar una fábrica por poquísimo dinero —le informó—. Podrías adaptar una a tu producción, y tendrías siempre obreros baratos a tu disposición. Aquí tienen derechos, no pueden trabajar más de no sé cuántas horas, hacen una pausa para comer y otra para desayunar, cobran salario mínimo... Es imposible que una empresa prospere honradamente. ¡Tienen sindicatos! —añadió con asco.

—Claro, para evitar que los exploten —le explicó Tala—. ¿Es que tú trabajarías todo el día sin parar a comer o sin cobrar un salario mínimo?

Ese precisamente era el problema de Tala, pensó Reema. Hacía preguntas que no tenían nada que ver con su situación. Lo que le correspondía a su hija era ser la dueña de la fábrica donde trabajaría aquella gente, y por lo tanto su obligación era obtener el máximo beneficio. Si hubiera nacido en el otro bando, entonces... entonces podía ser la cabecilla de los obreros. Esta idea le sugirió un nuevo argumento a favor de su postura.

—¿Se te ha olvidado cómo se paralizó este país cuando los sindicatos organizaron todas esas huelgas?

—Eso fue hace años —contestó Tala, enojada—. La estructura económica ha cambiado por completo desde entonces. No volverá a suceder lo mismo.

—Eso decían cuando acabó la Primera Guerra Mundial, y mira qué pasó veinte años después: otra guerra. ¡La tolerancia...! —terminó Reema en tono sentencioso.

Tala miró a su madre, impresionada de que, una vez más, hubiera logrado reconducir lo que parecía una conversación normal (aunque mal informada), para desembocar en un laberinto de comparaciones que no venían a cuento. Sabía que, si respondía a esa alusión a la guerra, terminarían entrando en otra discusión aún más absurda.

—Los baños están limpísimos —anunció Omar, ocupando su silla—. Hay veinte toallas como mínimo en cada uno.

—Qué bien —dijo Tala, como si hubiera estado esperando aquella noticia todo el día—. Ahora voy yo.

Se entretuvo un buen rato en el baño, echándose agua del grifo en la cara, que, para consternación de Reema, llevaba sin maquillar. Se secó con lentitud, con una de las numerosas toallas, las frías gotas de la frente y las mejillas, y regresó mentalmente a la conversación que había mantenido con Leyla unas horas antes. Se dio cuenta de que había sido bastante dura, y no sabía por qué. ¿Qué había en la novia de Ali que la empujaba a importunarla de aquel modo? Sonrió fugazmente al recordar la cara de asombro de Leyla y suspiró al pensar en su mirada nerviosa. Se quedó un momento inmóvil junto al lavamanos, disfrutando del silencio. Recordó que al día siguiente sus padres volverían a Amán, y ella podría dedicarse a trabajar tranquilamente, hasta que tuviera que viajar ella también para la boda.

Al volver a la mesa descubrió con alivio que la cuenta ya estaba pagada, aunque Reema se quejaba de que aún no se había terminado el tiramisú. El fresco aire de la calle fue un descanso tras la densa tensión de la última hora y media, pero Tala vio que era la única de los tres que echaba a andar en dirección a su casa.

—Quiero entrar unos minutos en el casino, Omar —dijo Reema—. Me siento afortunada.

La frase era absolutamente literal. Tras la desagradable situación de hacía unas horas, cuando Tala había hecho aquel comentario sobre Leyla y el matrimonio, las cosas habían empezado a mejorar. Primero su hija había aireado ante la invitada su peculiar visión de la religión, lo que sin duda debía de haberla molestado. Luego Hani había llamado desde Amán y, después de que Reema lo acaparara durante veinte minutos para asegurarse de que estaba controlando todos los preparativos de la boda (sí, los controlaba), Tala se había pasado media hora charlando con él entre risas. Y ahora tenía la impresión de que su hija empezaba a tomarse en serio los consejos que le había dado en relación a la fábrica. Todo eran buenas señales.

—Os espero en casa —dijo Tala con un suspiro, en medio del silencio de la calle.

—Quédate, serán cinco minutos —propuso su padre—. Podemos tomarnos un café mientras tu madre pierde dinero.

Reema no hizo caso de su cinismo. Las luces tamizadas de la puerta del casino, los elegantes porteros de chistera y frac que la saludaron por su nombre, los coches de último modelo aparcados frente a la entrada, las manos invisibles que se llevaron su chal, las lámparas de araña que iluminaban la grandiosa escalinata que conducía a las salas de juego... todo la hizo estremecerse de entusiasmo. Era en esos momentos, con aquella emoción recorriéndole las venas, cuando se sentía viva. Se sentó discretamente en un taburete tapizado de terciopelo y contempló sin jugar algunas manos de *blackjack*. Esperó, con la impaciencia controlada tras largos años de experiencia, y al final, en la primera mano contraria a la banca, dejó el dinero sobre la mesa y aceptó el montoncito de fichas que le dieron a cambio.

Tala miró a su madre, vio cómo la emoción dilataba aquellos ojos que se habían clavado tan fijamente en ella durante la cena, y se alejó para acompañar a Omar a un salón decorado como la biblioteca de una mansión de la campiña inglesa. La irritación que le inspiraba su madre estaba dando paso a un sentimiento más profundo e inquietante, el descontento consigo misma, bajo el cual se extendía un fondo de tristeza. Sumida en la angustia, lo primero en lo que se fijó fue que la «biblioteca» tenía las paredes forradas de libros falsos. Lo único que había para leer era la revista de sociedad que alguien había dejado sobre una de las mesillas. Omar eligió dos mullidas butacas de cuero frente a una chimenea donde había un fuego de gas encendido, se sentaron y Tala pidió una infusión.

—¿No tomas café? —le preguntó su padre.

Tala negó con la cabeza.

—Quiero dormir. Últimamente me cuesta.

Omar estuvo a punto de preguntarle cuál era el motivo, pero se refrenó para no sacar a la luz un laberinto de emociones al que no habría sabido enfrentarse.

—Supongo que es por la boda y todo eso —añadió Tala, dándose cuenta de que, si quería hablar con él, tendría que sacar el tema ella misma.

—No te preocupes —contestó su padre—. Lamia y tu madre lo tienen todo controlado.

Y era cierto, al menos en lo que respectaba a los cubiertos, los vestidos, las joyas y las invitaciones. La boda de su hermana Lamia, celebrada dos años atrás, había sido elegantemente ostentosa, y en Amán aún se hablaba de ella. Por lo tanto, todo el mundo daba por sentado que Reema y Lamia sabían organizar a la perfección este tipo de acontecimientos.

—Hani es un buen chico —comentó Omar, comprendiendo que le tocaba valorar al futuro marido—. Como Kareem.

Tala no tenía nada que objetar. Hani era un joven muy agradable, y había superado las severas pruebas que ella le había impuesto secretamente. Al igual que su padre, Tala había empezado a compararlo inconscientemente con Kareem, el marido de Lamia. Sin embargo, cuanto más se fijaba en este último, más veía que su gracia no estaba tanto en sus propias cualidades como en el hecho de ser diferente de la mayoría de los varones árabes. Tala había descartado este tipo de análisis para Hani, y no estaba dispuesta a agradecer, por ejemplo, que a su marido no le molestase que ella se ganara la vida trabajando. No obstante, aunque Tala elevó el listón, Hani se esforzó inconscientemente en estar a la altura. Era un hombre muy inteligente, psicológicamente equilibrado, sensible a los estados de ánimo de su novia. Y también era guapo y trabajador. En los seis meses que llevaban juntos habían hablado de todos los temas conflictivos, desde el sexo hasta la política o la religión, y, por avanzada que fuera la visión de ella, él nunca se había asustado sino que había reflexionado sobre la cuestión y al final, o bien había seguido defendiendo su primera idea o bien había modificado su forma de pensar. En resumen: Tala no era capaz de encontrar ni un solo motivo para no casarse con Hani.

—*Babba* —empezó a decir. Tragó saliva, pero como era consciente de que sería difícil encontrar un momento mejor, se atrevió a formular la pregunta que tenía en mente—. ¿Cómo supiste que querías casarte con mamá?

Su padre se removió en el asiento, incómodo. No era el tipo de tema que esperaba tratar con sus hijas. Sin embargo, se sintió atrapado por la mirada franca de Tala. Contuvo la urgencia de moverse histéricamente, como una mosca atrapada en una botella, y se encogió de hombros.

—La vi y supe que era la elegida —dijo.

El descarado romanticismo de la respuesta resultó algo menos obvio cuando Tala pensó que podía ser cierta, ya que las limitaciones de su madre solo se hacían patentes cuando empezaba a hablar.

—Pero cuando ya la conocías —insistió—, ¿seguiste teniendo esta sensación?

Omar la miró con desconcierto y Tala pensó que lo perdía. Desesperada, intentó formular la pregunta de otro modo:

—¿Seguías convencido de que era la persona adecuada para ti? ¿Nunca lo dudaste?

Omar hizo un gesto al camarero, pidiendo la cuenta. Se tranquilizó un poco tras contar las monedas y los billetes y guardarlos de nuevo en el portamonedas, y se animó a hablar.

—No le des tantas vueltas a las cosas, Tala —dijo.

En ese momento Reema los llamó desde el fondo del salón. Omar engulló rápidamente lo que quedaba del té y se levantó para reunirse con su mujer, que estaba tensa y evitaba su mirada. Solo por su postura, Tala supo que Reema había perdido todo el dinero, y su padre también entendió la situación y sonrió.

—¿Por qué sonríes? —masculló Reema.

—He estado tomando un té magnífico con Tala —contestó él—, y solo me ha costado quinientas libras, más la propina para el chófer. —Sonrió, hundiendo la mano en el bolsillo.

Reema giró en redondo y echó a andar por el vestíbulo, parándose solamente para recoger el chal de manos de la recepcionista y hacer un gesto a su marido para que le diera propina. Omar obedeció y ayudó a su hija a ponerse el abrigo. En la calle, Reema se zambulló en el interior del Rolls Royce que los estaba esperando, una de las atenciones que la dirección del casino les reservaba para ahorrarles el trayecto de trescientos metros que los separaba de su casa. Tala observó el perfil hosco de su madre, que se había sentado en el asiento trasero y miraba con obstinación al frente, y comprendió que estaba enfadada porque las cartas la habían traicionado. Reema se tomaba las pérdidas en el juego como algo personal, sin pensar que eran una cuestión de suerte en la que las probabilidades le irían siempre un poco en contra.

«Si lo viera así, no jugaría —había dicho una vez su padre—. Ella cree que lo controla.»

El argumento de Reema era que podía controlar el azar, que existían ciertas reglas, y que, por ejemplo, si uno jugaba contra un número alto, estropeaba la suerte de todos sus compañeros de mesa. Las reglas eran una de sus principales preocupaciones, sobre todo cuando desobedecer las convenciones podía repercutir en las personas de alrededor. En algunos momentos de introspección había llegado a pensar que los principios del *blackjack* se aplicaban a la vida en general. En la partida de la vida había que hacerse notar, destacar sobre los demás jugadores que coincidían en tu mismo camino. Y había muchas formas de distinguirse: conseguir una fortuna mayor que las de los demás, casarse mejor, tener hijos guapos que estudiasen fuera y terminasen bien casados... Estos eran los pilares en los que se apoyaban los demás deseos. Si estos cimientos eran sólidos, uno podía complementar el éxito conseguido con otros logros menores pero igualmente importantes (conservar un aspecto joven, contratar a una cocinera excelente para las cenas con los amigos, jugar al bridge como una campeona...). En cualquier caso, uno nunca debía retirarse del juego ni comenzar una partida distinta. Nadie querría jugar contigo si hacías eso; o peor aún, ¿cómo ibas a saber si estabas haciendo bien las cosas? Las reglas llevaban siglos demostrando que funcionaban; milenios quizá, aunque las nociones de historia y antropología de Reema no le permitían defender con convicción este argumento. En cualquier caso, opinaba que la idea de que uno puede crear sus propias normas y escupir a la cara de la sociedad era el principal fallo de la educación occidental de hoy en día. Para Reema, el pensamiento independiente no tenía nada de recomendable. Lamia había entendido este peligro; y Tala también, por fin. Pero a Reema seguía preocupándole Zina, allá en Nueva York, hablando de hacer un doctorado en Relaciones Internacionales. Mañana se lo comentaría otra vez a Omar. No quería una hija doctora, a no ser que fuera doctora en Medicina.

Capítulo 4

Leyla estaba absorta, felizmente absorta. En el silencio de la habitación, roto solamente por algún trino procedente del jardín, estaba sentada frente al escritorio, concentrada en la escritura, inmersa en otra vida, con personas a las que nunca había visto pero que había creado ella misma. De pronto la sobresaltó la voz de su madre, llamándola desde el pie de las escaleras.

—¡Leyla! —gritó Maya, en un tono calculado para llegar a los oídos de su hija—. ¡Llegará dentro de nada!

«Concéntrate», se dijo Leyla. «No pierdas el impulso.» Siguió tecleando desesperadamente durante unos segundos más, pero el hechizo se había roto. Con un suspiro, se levantó de la silla y bajó a la cocina. Caminó en silencio, con pasos leves, como si moverse imperceptiblemente la ayudara a regresar a la vida real. Pero Maya la estaba esperando en la puerta, cuchara de madera en mano.

—¡No sé por qué Ali no puede quedarse a comer con nosotros!

Leyla lanzó una mirada a su hermana Yasmin, que alzó una ceja con sorna sin dejar de cortar lechuga.

—Ha reservado una pista de tenis con dos amigos más, mamá.

—¿A la una? ¡Es la hora de comer!

—Solo en la periferia, mamá —explicó Yasmin—. Creo que en Londres nos llevan dos horas de adelanto.

Maya cabeceó enfadada. Había dedicado más de veinte años de su vida a educar a esas muchachas y lo único que recibía a cambio era descaro.

—Y tú, ¿qué estás preparando? —preguntó a su hija pequeña, ante la ausencia de cualquier otra cuestión que pudiera criticar por el momento.

—Ensalada griega —contestó tranquilamente Yasmin, mientras machacaba unas aceitunas.

—¡Por lo visto la ensalada india no es lo suficientemente buena!

—¿Qué es una ensalada india? —preguntó Yasmin, riendo—. ¿Una lechuga pasada y unas guindillas?

Leyla soltó una carcajada, pero Maya se enfadó mucho.

—¡Pensáis demasiado en las otras culturas, vosotras dos! ¡Londres, Grecia...! ¿Y qué hay del país de vuestros antepasados? ¿Pensáis en él alguna vez? La India tiene una de las culturas más ricas del mundo!

—Me alegro de que digas eso, porque estoy pensando en ir a pasar seis meses a la India —anunció Yasmin, echando los huesos de las aceitunas al fregadero, donde cayeron con un bonito tintineo. Hizo una pausa antes de asestar el golpe final—: En plan mochilero.

En ese momento, Maya fue consciente de que sus hijas querían llevarla prematuramente a la tumba. Leía los periódicos, veía los telediarios, y sabía que ir de mochilero solo podía significar tres cosas: auto-stop, violación y asesinato, en este orden. La cuestión de la higiene también la preocupaba, pero pensó que, ante la perspectiva de una muerte sangrienta, llevar las bragas limpias debía de ser el menor de los problemas. Notó que le estaba saliendo otra cana mientras pensaba en todo eso; en la zona de la frente, donde aún se vería más. De momento decidió no responder al anuncio de Yasmin, pero estaba dispuesta a hablar más tarde con Sam para asegurarse de que su marido prohibía cualquier tipo de viaje con mochila. Sobre todo por la India.

El tranquilizador tintineo del timbre interrumpió sus pensamientos, y Maya recibió con efusividad a Ali, que le caía muy bien. Aunque llevara puesta la ropa de deporte, iba bien vestido y estaba guapo. Maya lo miró mientras Ali saludaba a Yasmin.

—Qué bien huele por aquí —dijo Ali con una sonrisa.

—Es queso feta, para la ensalada griega —explicó Yasmin, lanzando una mirada significativa a Maya.

—No sabía que te gustaba cocinar —bromeó Ali.

Maya sonrió, pero se volvió en busca de Leyla. Esa chica siempre se mantenía en segundo plano, en lugar de hacerse valer.

—¡Cocina muy bien! —aseguró Maya—. Y Leyla también. —Maya empujó a su hija mayor hacia el grupo—. Prepara unas tartas magníficas, ¡y no engorda ni un gramo!

—Venga, vámonos —la interrumpió Leyla.

Empujando a Ali hacia la puerta de la calle, no hizo caso de la postrera invitación de Maya de quedarse a comer en lugar de ir al tenis y, tras escuchar con alivio el chasquido de la puerta, salió de la casa e intercambió una mirada con un sonriente Ali.

Cuando Leyla se enteró de que en el club de tenis estaría Tala además de Jeff, otro amigo de Ali, sintió que le recorría el cuerpo un escalofrío de emoción, aunque el recuerdo del primer encuentro seguía inquietándola. Por algún motivo, Ali, sin consultárselo, había decidido que chicos y chicas jugarían por separado. Tala tenía un aspecto muy profesional con su inmaculado vestido blanco, y Leyla, por primera vez desde que se los había comprado, examinó con ojos críticos los pantalones que no hacían juego con la camiseta. No obstante, sabía que jugaba bien al tenis y estaba en forma y se animó, sintiéndose más segura de sí misma.

La primera pelota que sacó chocó clamorosamente contra la red. Leyla se encogió de hombros y se dispuso a lanzar otra vez, mientras veía cómo Tala daba un paso exagerado hacia el centro de la pista. Esta actitud la molestó inmensamente, porque daba a entender que Tala tendría que acercarse a la red para devolver una pelota baja. Lanzó la pelota a buena altura, la vio descender y dio un salto para recogerla con la gracilidad de una pantera que se abalanza sobre su presa. Su raqueta produjo un agradable chasquido, pero la pelota chocó con el borde de la red y cayó otra vez en su lado. Leyla masculló entre dientes una palabrota mientras Tala la miraba con una sonrisa.

—Si quieres clases, aquí hay buenos monitores.

Esta vez Leyla le dirigió una sonrisa hostil y le dio la espalda, preguntándose si la arrogancia de esa mujer tenía límite. Volvió a la línea y tomó aliento, consciente de que aquello ya no era un partido de tenis sino una guerra. A un lado y otro de la red, las jugadoras entrecerraron los ojos. Notando que se avecinaba la tormenta, Tala dio un paso atrás esta vez, aferrando la raqueta, dispuesta a contraatacar. El saque fue potente y cercano al suelo, pero Tala alcanzó la pelota y la devolvió a la pista, en lo que fue el golpe inicial de una contundente serie.

Cuarenta minutos después, Ali y su rival dejaron de jugar para mirarlas. La pelota iba y venía como un objeto enloquecido, los pies de las jugadoras golpeaban el suelo con fuerza y se deslizaban ágilmente sobre él y las raquetas silbaban. Leyla era vagamente consciente de que tenía el pelo totalmente despeinado y la camiseta pegada a las costillas cuando asestó el golpe final que le permitió ganar el partido. La pelota cayó detrás de Tala envuelta en una nube de polvo, sin que nadie la rozara.

—Lo has conseguido —dijo Tala, acercándose a la red para felicitar a Leyla. Su apretón de manos fue cordial y su brazo rodeó los hombros de su rival—. Eres muy buena.

—Tú tampoco juegas mal —respondió Leyla, con el aliento entrecortado.

—Anda, vamos a cambiarnos.

Tala se entretuvo un momento buscando las cosas de la ducha.

—¿Cómo te las has arreglado para ganar el último set? —preguntó—. Creía que ya era mío.

—He implorado la intervención divina —replicó Leyla, burlona.

Tala alzó la cara y la miró con seriedad.

—Oye, yo no dije que no creyera en Dios —repuso—. Es la religión lo que no me gusta. Perdona si te ofendí el otro día.

—Tranquila —contestó Leyla, desviando la mirada—. De hecho, me hiciste pensar.

—¿En qué?

—En por qué seguimos un camino y no otro. ¿Porque es lo que se espera de nosotros, porque estamos condicionados...?

De repente, como si hubiera desvelado demasiado de sí misma, Leyla se interrumpió y apartó la cara, aferrando el pomo de la taquilla. Tala la oyó ahogar un sollozo y le tendió la mano, pero su gesto pareció turbar todavía más a Leyla.

—No pasa nada. Solo estoy un poco sensible.

Tala le oprimió los dedos cubiertos de rasguños y esperó a que alzara los ojos.

—Tendrías que intentar relajarte... Sentirte bien contigo misma.

Leyla hizo un esfuerzo para sostener la mirada de Tala y relajar la espalda y los hombros, pero solo consiguió parecer más aturdida. Tala le soltó delicadamente la mano y empezó a recoger sus cosas.

—¿Qué haces mañana?

—Tenemos comida familiar. Es domingo y todo eso.

Tala asintió con un gesto y se dirigió a la ducha, desde donde llegaba el lánguido eco de unos grifos que goteaban.

—¿Por qué? —añadió Leyla con vacilación, cuando Tala ya se alejaba.

—Por nada —contestó Tala, volviéndose—. Iba a pedirte si querías comer conmigo, y quizá dar un paseo por el parque. —Titubeó un momento y añadió—: Me gustaría conocerte mejor.

—Lo que quieres es poder discutir con alguien. —Leyla sonrió.

—Y si te prometo que me portaré bien, ¿te lo pensarías? —quiso saber Tala, y esta vez, algo que había en los ojos de Leyla mientras asentía, la obligó a desviar ella la mirada.

El domingo, para poder quedar con Tala, Leyla tuvo que buscar el modo de escapar a una comida a la que debían asistir numerosos parientes, lo cual causó una gran consternación a sus padres, que insistieron en saber qué compromiso de última hora podía ser tan importante como para perderse la reunión con una tía abuela y tres primas del Canadá. Leyla sabía que haber quedado a comer con una chica a la que apenas conocía pero que le caía muy bien no sería considerado un motivo razonable, y por eso inventó precipitadamente una cita con Ali. En cuanto pronunció esta excusa sintió en el paladar el ácido sabor del remordimiento: lamentó haber recurrido a una mentira en lugar de tener el coraje de hablar abiertamente con sus padres, pero ya era tarde. La mera mención de Ali suavizó la decepción que expresaba el rostro de Maya, pero también generó un nuevo obstáculo.

—Tráelo a comer a casa —propuso Maya—. Así conocerá a la familia.

La idea de exponer a Ali a la ávida mirada de sus primas horrorizó a Leyla. Las tres competían entre sí por casarse la primera, como si participaran en una especie de prueba olímpica para la que se hubieran entrenado desde la pubertad. Igualmente inquietante era pensar en el interrogatorio con que la abuela obsequiaría a Ali, centrado sin duda en el número de hijos que pensaban tener y en si en las bodas modernas era mejor usar sari blanco o sari rojo. Tanto la asustó la perspectiva, que tardó un momento en recordar que acababa de poner a Ali como excusa aunque su amigo pensaba dedicar la tarde a ver tranquilamente el rubgy en su casa.

—No puedo traerlo, tiene una comida de trabajo —añadió desesperada.

—¿En domingo? —se extrañó el padre de Leyla. Siempre era más perspicaz que su madre, pero, por suerte, la exultante reacción de Maya ahogó su curiosidad.

—¿Y te ha pedido que lo acompañes? Es una buena señal, ¿no? —Maya abrió el horno, del que salió una bocanada de calor que la llevó a despotricar contra su marido por obligarla a usar aparatos tan modernos.

—¡Son demasiado eficientes, calientan demasiado! —se quejó—. Todo se hace en la mitad de tiempo, yo ya no me aclaro.

—Si todo se hace tan rápido, podrías estar conmigo leyendo el periódico —contestó el padre de Leyla, pero Maya se limitó a darle silenciosamente la espalda, hasta que Sam decidió volver a la sala.

Leyla se quedó en la cocina, preocupada por el humor de su madre y por que las mentiras que había urdido apresuradamente no terminaran volviéndose en contra suya. Miró en derredor. La ensalada estaba a medio hacer, el arroz estaba a la espera del lavado y aún faltaba poner la mesa. Cogió el cuchillo romo (su madre nunca usaba el juego de cuchillos japoneses perfectamente afilados que le había regalado Yasmin el año anterior) e intentó cortar los tomates en rodajas, pero no era una tarea fácil, porque había que haber usado aquel cuchillo durante años para saber qué minúscula porción del filo estaba aún en condiciones para poder aplicarlo correctamente y conseguir un corte limpio. Nerviosa, solo consiguió aplastar el tomate demasiado maduro y enviar un chorretón de simientes sobre la tabla.

—¿Qué haces? —preguntó Maya, y enseguida se respondió a sí misma—. ¡Estás estropeando unos tomates riquísimos!

—Hace más de una semana que estos tomates dejaron de estar ricos... —la informó Leyla—. Están pasados.

—Están llenos de sabor —la corrigió su madre—. ¿A quién le gusta un tomate duro e insípido?

Leyla sabía por experiencia que, si no hacía algo para impedirlo, la discusión podía proseguir indefinidamente. Incongruentemente, le vino a la cabeza la imagen de una verdadera discusión, una discusión importante. Quizá podría preguntarle a su madre cómo sabía si seguía la religión correcta. Si hubiera nacido en un entorno católico, ¿no habría sido educada para creer que el catolicismo era la mejor vía?

—¿Qué pasa? —preguntó Maya—. ¿Por qué me miras así?

—Nada, solo estaba pensando.

—Pues piensa en los invitados y pon la mesa —contestó su madre.

Leyla cumplió rápidamente la tarea y luego entró silenciosamente en el salón, donde su padre estaba leyendo el suplemento de negocios mientras oía el debate político de la tele.

—¿Volverás pronto? —preguntó Sam—. Estaría bien que hablaras un poco con tu abuela.

—Lo intentaré —contestó Leyla.

—Y tráete a Ali, si puedes.

—Ya veré.

Leyla cambió un poco de posición, y su padre la miró por encima del periódico con unos ojos que a ella le parecieron transparentes e inquisitivos. Se sintió expuesta y tragó saliva, disponiéndose a escuchar lo que fuera que pensaba decirle su padre.

—He visto un artículo que te interesará, sobre la forma de equilibrar los activos en un fondo de pensiones —dijo Sam. Dobló el periódico y lo puso en las manos de su hija—. Ya me dirás qué te parece.

El cielo estaba nublado, pero Leyla, mientras paseaba con Tala por el parque, pensó que la luz tamizada parecía difuminar los árboles y las orillas del río. Durante la comida habían conversado largamente, intercambiando opiniones y datos, hasta que cada una terminó conociendo un poco el entorno familiar, el trabajo y otros datos concretos de la otra. En el parque, sin embargo, estuvieron caminando un rato en silencio. El espacio abierto, el cielo y la brisa que soplaba se llevaron los flecos de la conversación y les dejaron tiempo para pensar. Fingiendo mirar al río, Leyla lanzó una mirada de soslayo a Tala. Su melena ondulada le llegaba hasta más abajo de los hombros, y bajo la luz invernal, el oscuro castaño de su pelo parecía resplandecer con una luz propia.

—Oye, me has contado qué haces, pero no por qué lo haces —dijo Tala.

—¿Qué quieres decir?

Tala la miró.

—Trabajas para tu padre. Yo también trabajé hasta hace poco para el mío, pero no era lo que quería hacer en realidad.

—¿Y tu proyecto actual sí lo es?

—Podría serlo —contestó Tala, encogiéndose de hombros—. Me gusta el concepto que hay detrás. Crear aquí un mercado para productos palestinos: jabón, velas, cosa así. Hay que trabajar en el diseño y la calidad, y luego conseguir un espacio en las tiendas. Me gusta el trabajo. Podría contribuir a mejorar la calidad de vida de los productores locales, y a mí podría darme más independencia... —Tala apartó la mirada, como si este último comentario se hubiera adentrado demasiado en el terreno personal.

—Espero que tengas éxito. Seguro que lo tendrás.

Tala sonrió.

—¿Y a ti? ¿Te gusta trabajar con tu padre?

—No me molesta —contestó Leyla, riendo un momento—. Siempre quiso que trabajara con él, y no había nada que yo hubiera querido hacer desde siempre, salvo...

Se interrumpió, sorprendida de haberse acercado tanto a una revelación. Apretó un poco el paso, pero ya era tarde. Tala se había dado cuenta de su emoción y le había puesto una mano en el brazo.

—¿Salvo qué?

Leyla dejó de caminar y soltó una risita nerviosa.

—Escribir —contestó—. Literatura. —Fue un momento de tensión para ella, porque estaba abriendo la puerta a una vida secreta cuya existencia conocían muy pocos—. Tengo algunos relatos publicados, y ahora estoy trabajando en una novela.

—¿Puedo leer lo que escribes?

—No lo sé.

—¿Por qué? —preguntó Tala, riendo—. ¿No te fías de mí?

—No es eso.

—Vale. Si me dejas leer un relato tuyo, puedes preguntarme lo que quieras.

Leyla la miró.

—¿Lo que sea?

—Sí.

—¿Cómo es que has estado cuatro veces comprometida? —preguntó rápidamente, y rió al ver que Tala ponía los ojos en blanco—. Quiero decir, pareces una mujer tan segura...

—En fin, no es algo que me enorgullezca —contestó Tala—. La primera vez... Bueno, yo era muy joven y no tenía ni idea de en qué me estaba metiendo. Con el segundo salimos bastante tiempo. Lo cual no está mal, a mí me encanta salir, pero resulta que no lo quería. El tercero cumplía todos los requisitos: buena familia, árabe cristiano, inteligente y guapo... pero no conectamos. —Miró a Leyla en busca de comprensión y Leyla le devolvió la mirada—. ¿Y qué hay de Ali y tú? —preguntó Tala—. ¿Cómo os va?

Habían dejado de caminar y estaban bajo la sombra protectora de un roble. Algo más lejos, el río fluía con un suave rumor. Tala miró a Leyla, que vacilaba en responder. A la pálida luz de la tarde, sus ojos se veían muy claros y su piel parecía casi translúcida.

—Es simpático, nos llevamos muy bien —dijo al final Leyla.

Tala hizo un gesto de asentimiento.

—Pero ¿no conectáis?

—No del modo en que creí que conectaríamos.

Tala sintió un súbito impulso de apartar el largo mechón oscuro que caía sobre la frente de Leyla, pero mantuvo las manos en los bolsillos de la chaqueta mientras observaba cómo Leyla se acomodaba el pelo.

—Quizá esperamos demasiado —dijo de repente.

Notó que Leyla la miraba, buscándole los ojos para interpretar lo que escondían, pero Tala siguió mirando fijamente el cielo, donde estallaron algunos relámpagos. El olor de la tormenta inminente flotaba en el aire, metálico y extraño.

—Más vale que nos vayamos —concluyó Tala—. Está a punto de llover.

Capítulo 5

Durante todo el camino de vuelta, Leyla se sintió dividida entre la ilusión y la incertidumbre, aunque era la ilusión lo que causaba la incertidumbre. Solo había quedado con una amiga para comer y pasear por el parque. Debería estar pensando en algo completamente distinto, o como mucho recordando un par de momentos, en lugar de dedicarse a sopesar los matices de cada palabra y cada mirada que había compartido con Tala. De hecho, debería estar pensando en otra persona completamente distinta; preferiblemente Ali, o alguien como Ali. Sin embargo, no era Ali quien la tenía fascinada, aunque no reconoció ante sí misma este hecho hasta el momento de entrar en el jardín de su casa y bajar del coche. Aún no había tenido tiempo de considerar todas las implicaciones de que le gustaran las cadencias del acento de Tala, o de que la asombrara permanentemente cómo se articulaban los pensamientos tras aquellos ojos castaños. O de que, cada vez que intercambiaban una mirada, el corazón le diera un vuelco; o de que, sin pretenderlo, hubiera dicho ya una mentira a sus padres para ver a su amiga. Leyla no tenía más remedio que advertir una antigua pauta en todo aquello. Desde el final de la adolescencia había sido víctima de una serie de calladas fascinaciones. Algunas habían durado solo unos días; la mayoría, un par de meses, y dos o tres, bastante más tiempo. Lo que todas tenían en común era que la atracción había permanecido normalmente oculta, inexpresada, y nunca había sido correspondida. Aunque Leyla solía atribuir a otras razones el hecho de que esta situación se repitiera (por ejemplo, que el objeto de su deseo fuera casi siempre una persona casada), alguna que otra vez había reconocido ante sí misma (sobre todo en mitad de la larga noche de Surrey, amparada en la clemente oscuridad) la verdad: y la verdad era que todas y cada una de las personas que la habían fascinado habían sido mujeres.

A veces se le ocurría que confinar todas estas historias a su mundo mental era una cobardía, pero le resultaba más fácil mantenerlas en secreto que compartirlas con quienes la rodeaban. Además, admitir su realidad sería como querer agarrar a una cobra por la cabeza. Las repercusiones serían importantes, las secuelas del estallido afectarían a todos los aspectos de su vida y harían daño a sus seres cercanos. Leyla sabía que la posibilidad de esta catástrofe no era una razón para mentirse a sí misma, pero hasta el momento todas las mujeres que le habían gustado eran inalcanzables, no estaban interesadas en ella o desconocían por completo la situación, lo cual le había ahorrado la necesidad de decidir qué hacer en caso de tener una verdadera relación. No tenía ni idea de cómo se podía llegar a conocer a otras mujeres interesadas en esta clase de unión sin contestar a un anuncio de Internet o elegir a las amistades según una serie de estereotipos poco fiables. Si tenía que basarse en ellos, le parecía absurdo que Ann Framer, su compañera del último curso de secundaria, quedara clasificada en el apartado incorrecto solo porque se le daba bien el tenis y le gustaban los gatos. Lo que quería Leyla, lo que anhelaba conseguir algún día, era simplemente una atracción mutua. Un instante de comprensión, un impulso incontenible que sacara a la luz su pasión oculta y la hiciera realidad.

—¿Qué quieres oír antes: la buena noticia o la mala?

Leyla dio un respingo y suspiró, contenta de que la recibiera su hermana, a pesar de que Yasmin parecía bastante alterada.

—¿Cuál es la mala?

—Ali, con quien en teoría habías quedado, ha llamado para preguntar si querías ir a su casa a ver el rugby.

—¡Oh, no! —exclamó Leyla, cerrando los ojos—. Dime que has cogido tú el teléfono...

—Mira, esa es la buena noticia —contestó Yasmin—. Lo ha cogido papá, ¡y no le ha dicho nada a mamá!

Leyla intentó pasar de largo y subir a su habitación, dividida entre la ilusión por el día que había compartido con Tala y el sentimiento de culpa por haber preocupado a su padre, pero Yasmin se interpuso en su camino.

—¡No corras tanto! Me debes una. ¡Mira que dejarme sola con esas primas infernales! ¡Y ni siquiera ha sido por Ali! ¿Dónde has estado, por cierto?

Desde que había vuelto de Nairobi, Yasmin había empezado a sospechar que su hermana tenía una especie de doble vida. En realidad, dicho así resultaba un poco exagerado. Lo que Yasmin intuía era más bien un aspecto oculto, un mundo interior, inconcreto y borroso. Y la idea no le disgustaba, porque durante demasiado tiempo había sido ella la única en abanderar la libertad de acción, pensamiento y expresión frente a sus padres, mientras que Leyla, por lo visto, aceptaba sin rechistar las condiciones de la pequeña dictadura doméstica, basándose en que no tenía ninguna razón de peso para rebelarse. A pesar de ser dos años menor, había sido Yasmin la primera en declinar la oferta de ocupar un puesto en el negocio familiar; la primera que se había ido de casa para instalarse por su cuenta en Kenya, y la primera que había tenido novio. La aparente falta de necesidades, de deseos, que Yasmin veía en su hermana (deseo de intimidad, de vivir más experiencias, de relacionarse con hombres...), la desconcertaban y preocupaban.

Sin embargo, desde que Yasmin había vuelto a Londres, y sobre todo en las últimas dos o tres semanas, Leyla se había vuelto más tangible, más una persona por derecho propio. Los monótonos ritmos de la vida en la vieja casa de Surrey no habían cambiado, pero la asombrosa novedad de aquella tarde, el descubrimiento de que Leyla había dicho una mentira, habían hecho que Yasmin corroborase su sospecha de que su hermana estaba cambiando. A pesar de que la perspectiva la animaba (se alegraba tanto por Leyla como por ella, ya que le vendría bien tener a alguien luchando a su lado), no quería pasar por alto el hecho de que Leyla la había dejado toda la tarde sola con la marabunta. Yasmin subió seguida de su hermana a la buhardilla que, durante su estancia en Kenia, su padre había convertido en un dormitorio más amplio para ella, con su propio saloncito y un pequeño cuarto de baño. Su padre había querido darle un «incentivo» para que volviera (según él, los incentivos eran esenciales para retener a los empleados clave de la empresa, y no veía motivo para que este principio no pudiera hacerse extensivo a los miembros de la familia), una oferta que Yasmin entendió como un soborno, aunque aceptó el espacio que le ofrecían. En el dormitorio, Leyla y ella se sentaron en uno y otro extremo de un desvencijado sofá azul.

—Estás teniendo una aventura con alguien, ¿no? —soltó Yasmin a modo de preámbulo, con una gran sonrisa en la cara—. Y no es Ali. ¿Es inglés? Mejor aún, ¿es negro? Mamá se morirá del disgusto.

Leyla quiso suspirar pero no pudo más que sonreír.

—No, qué va.

—¿Estás segura? —preguntó Yasmin, mirándola decepcionada.

—Creo que si estuviera teniendo una aventura, me daría cuenta. He ido a comer con alguien a quien he conocido hace poco, pero como prácticamente hace falta un certificado médico para saltarse una reunión de familia...

Yasmin suspiró, suscribiendo el comentario de su hermana.

—Necesito una casa propia —dijo—, y tú también.

Se quedaron un momento en silencio. Ninguna tenía el dinero suficiente para pagar el depósito de un piso, y además sus padres nunca aceptarían que dejasen la casa familiar sin un certificado de matrimonio.

—¿Y por qué no te casas con Ali? Así podrías irte.

—Ya sabes por qué no me caso con él —contestó secamente Leyla—. No lo quiero, y él no me quiere a mí.

—Y entonces, ¿por qué sales con él? —preguntó Yasmin en voz baja.

Era muy difícil resumir la respuesta. Cualquier contestación resultaría poco convincente porque se mezclaban muchas cuestiones, entre ellas el hecho de que la compañía de Ali era agradable, que la relación con él complacía a sus padres y que salir con él le daba a Leyla más tiempo para intentar superar sus tendencias naturales.

—¿Y quién es tu nueva amistad? —preguntó Yasmin.

Su mirada era más incisiva y su gesto, expectante. Aunque se movía por la vida a un ritmo que parecía anular toda reflexión, en realidad Yasmin era muy sensible a los estados de ánimo de sus familiares. Y en aquel momento acababa de recordar que en los últimos días Leyla había estado escuchando todo el tiempo el nuevo CD de kd lang.

—Es una amiga de Ali —explicó Leyla, conteniendo la sonrisita que le asomó automáticamente a los labios.

«Amiga», pensó Yasmin. Primer gol. Tendría que ir con cautela y cambiar la táctica si quería averiguar algo más.

—¿Puedo hacerte una pregunta?

—Claro —contestó Leyla.

—¿Lo haces a menudo? —preguntó Yasmin como quien no quiere la cosa—. Me refiero a eso de mentir a papá y mamá.

—Nunca les había mentido —contestó Leyla, desconcertada—. Aún no me termino de creer que les haya engañado.

Segundo gol, pensó Yasmin. Su hermana ya había empezado a mentir por aquella chica.

—¿Es guapa? —preguntó, aunque enseguida se dio cuenta de que la estrategia era demasiado obvia.

Leyla se puso tensa de inmediato, soltó una risita y exclamó que qué clase de pregunta era esa. De hecho, su obvio nerviosismo fue un indicio más. «Da igual», pensó Yasmin. Por el momento no insistiría. Ya habría tiempo para averiguar más detalles. Podía acompañar a su hermana a su habitación, diciéndole que no encontraba una camiseta o algo así. Estaba segura de que había visto un DVD de *The L Word* por alguna parte. Sería la confirmación definitiva.

—En fin, enhorabuena —dijo, para tranquilizar a su hermana.

—¿Por qué?

—Por haber desafiado hoy a tus padres.

Leyla soltó una risa amarga.

—No les he desafiado, les he mentido.

—Bueno, es un comienzo —opinó Yasmin, dispuesta a ver la parte positiva de la situación—. Ahora solo tienes que aprender a hacer lo mismo, pero diciéndoles la verdad.

—Es que nos lo ponen tan difícil, ¿no te parece? —suspiró Leyla, angustiada—. No soporto que monten un drama por cada mínima desviación de sus planes.

—No es culpa suya —dijo Yasmin—. Llevas demasiado tiempo permitiendo que te ignoren como persona. Si algo tengo claro, es que siempre hay que intentar montar más escándalo que ellos. Si gritan, tienes que gritar más fuerte, si se ponen histéricos, tú tienes que ponerte aún más histérica.

—No quiero entrar en ese juego —contestó Leyla, incorporándose.

—La vida es un juego, cariño —declaró Yasmin—. Y si no quieres salir perdiendo, es mejor que participes en él.

A Leyla le gustaba pensar que había sido el consejo de su hermana el que la había animado a estar sentada al lado de Tala la noche siguiente, en la acogedora penumbra de un teatro de la capital. En un impulso, había llamado a Tala para invitarla a ver la obra, y su nueva amiga había aceptado enseguida. Leyla llevaba unos veinte minutos viendo cómo los actores parlamentaban y se movían por el escenario, pero acababa de darse cuenta de que no tenía ni idea de cuál era el argumento o de quiénes eran los personajes.

Y es que todos sus sentidos, todas sus percepciones, estaban concentrados en una minúscula parte de su cuerpo, el trocito de antebrazo que reposaba entre su asiento y el de Tala. Al alzarse el telón, Leyla había notado que el codo de su amiga también se apoyaba en el estrecho puente de terciopelo que las separaba y había estado a punto de apartar el brazo para dejarle sitio. Pero el roce de la camisa de Tala contra su piel desnuda la había conmovido, y sentir aquella conexión con la chica que estaba sentada a su lado le había parecido maravilloso, por lo que había dejado el brazo donde estaba con toda la naturalidad que había sido capaz de mostrar. Cuando el público acogía con risas una réplica, Leyla también sonreía, aunque no tuviera ni idea de qué habían dicho los actores, y aprovechaba para mirar de reojo a Tala. De pronto, Tala se volvió a mirarla.

—Se me ha olvidado preguntarte si has traído tus relatos —le susurró al oído.

Leyla asintió y volvió a fijar la vista en el escenario, mientras rozaba con el pie el bolso que había dejado en el suelo y que contenía las dos revistas en las que salían publicados sus relatos. Al principio le había ilusionado la idea de dejárselas a Tala; se sentía orgullosa de que su amiga viera su nombre en letras de molde. Sin embargo, ahora empezaba a albergar la sospecha de que Tala odiaría los relatos en cuanto los leyera. La obsesionaban las frases que no terminaban de convencerla y temía que las emociones descritas parecieran demasiado artificiales. Tosió y trató de concentrarse en la obra.

—No te preocupes. —La voz de Tala volvió a sonar inesperadamente junto a su oído—. Me encantarán.

* * *

A la tarde siguiente, justo a la misma hora, Leyla caminaba bajo las fuertes luces fluorescentes de un supermercado junto a su madre y su hermana, en un entorno que no podría estar más alejado del ambiente elegante y tenuemente iluminado del teatro al que había asistido con Tala. Sin embargo, mientras hablaba por el móvil, las monótonas hileras de productos ordenadamente dispuestos le parecieron hermosas y frescas. Durante las últimas veinticuatro horas había echado de menos las particulares inflexiones y entonaciones de la voz de Tala, la dureza y la suavidad que era capaz de transmitir al mismo tiempo.

—No me has devuelto las llamadas —dijo Tala.

—Solo has dejado un mensaje, esta mañana —contestó Leyla, sonriente—. Pensaba llamarte más tarde.

—Espero que sea verdad.

—Lo es.

Leyla lanzó una mirada indolente a su hermana; Yasmin la vio, reprimió el instinto de escuchar y se alejó para elegir un *brie.*

Tras la partida de su hermana, hubo un silencio durante el cual Leyla notó que sus mejillas se teñían de rojo. No se le ocurría nada que decir, ninguna frase adecuadamente amistosa, ninguna réplica que hiciera avanzar la conversación, ninguna pregunta que no abriera su corazón como si se lo cortaran con un bisturí.

—¿Por qué me habías llamado? —preguntó Leyla.

—Quería darte las gracias por la invitación de anoche —respondió Tala—, pero sobre todo, por dejarme leer tus relatos. Me han encantado. Tienes mucho talento, Leyla.

Leyla enrojeció y le dio las gracias con voz balbuceante, pero Tala la interrumpió.

—¿Te gustaría venir a Oxford conmigo este fin de semana? Mi familia patrocina una serie de conferencias sobre Jordania, y hay una reunión en una de las facultades para ver si la primera puede hacerse allí. —Tala vaciló antes de añadir—: Estará mi hermana Lamia. Va a venir desde Jordania.

—De acuerdo —contestó Leyla.

—¿Ah, sí?

—Sí —contestó Leyla, riendo.

Alzó la cara, vio que su madre la estaba mirando desde la pescadería y se alejó disimuladamente para continuar con la conversación.

El día anterior, Maya había oído sonar el teléfono pero no había entendido nada de lo que decía su marido. Sospechaba que le ocultaban algo, pero el lunes, cuando estaba con sus hijas en el supermercado, prefirió no indagar. Al ver a Leyla, Maya sonrió. Su hija caminaba indolentemente por el pasillo de las conservas y hablaba en susurros por el móvil, con las mejillas sonrojadas y soltando risitas. Era obvio que el que estaba hablando con ella por teléfono era Ali y que controlaba la situación perfectamente, porque por fin Leyla se comportaba justo como su madre había esperado siempre: es decir, como una joven enamorada.

Maya se volvió otra vez hacia el mostrador, donde la pescadera ya había separado la pieza escogida y la estaba pesando. El precio que anunció la mujer envuelta en un delantal sucio apartó a Maya de sus reflexiones sobre el matrimonio de Leyla y la hizo concentrarse en el mostrador cubierto de hielo. Titubeó. Podía pagar aquel pescado, no era ese el problema. El problema era si el precio era justo. Por suerte, Yasmin estaba eligiendo quesos y no insistiría en que siguiera con la compra, pero detrás de Maya empezaba a formarse una pequeña cola. Los clientes que se alineaban frente a aquella colección de peces de ojos inertes le lanzaban miradas corteses pero silenciosamente intimidantes, esperando a que diera el visto bueno al ejemplar que había pedido y se fuera a comprar otra cosa. Maya hizo un cálculo mental. También podría comprar media docena de filetes de bacalao, pero ¿compensaría el ahorro la pérdida de prestigio que sufriría tras presentarse con un simple plato de pescado *masala*?

—Me lo llevo —anunció.

Sintió una momentánea euforia por haber tomado la decisión más acertada, pero enseguida volvieron a asaltarla las dudas. Aquel pescado era demasiado ostentoso. Después de todo, solo tenía que llevar un plato para una cena fúnebre, porque en su comunidad era tradicional no preparar nada de comida en la casa del finado. Y ella se presentaría con aquel salmón enorme y reluciente a una casa en la que acababa de haber una muerte. Una casa entristecida, una casa de luto, una casa donde sería mejor cenar cosas más sencillas. Se dio cuenta de que acababa de gastar cincuenta libras en la compra de un pescado que no podría utilizar. Un pescado que ahora tendría que comerse la familia, cuando podría haberles alimentado con cuatro filetes de bacalao, que costaban solo dos libras y noventa chelines cada uno. Desilusionada, cogió el cadáver de salmón envuelto en plástico y se fue empujando el carrito a la sección del papel higiénico.

—¿Sabes una cosa? —canturreó la voz de Yasmin a su espalda—. Si encargaras la compra por Internet, no tendrías que ir por ahí cargada con papel de váter. Te lo llevarían todo a casa.

Maya no le hizo caso y miró complacida los rollos de papel higiénico. Por lo menos eso estaba de oferta: cada *pack* de nueve solo costaba una libra. Si compraba cuatrocientos rollos de papel de váter a ese precio, habría recuperado el gasto del salmón. ¿Por qué hacían los carritos tan pequeños? Tenía ganas de llorar. La vida traía cada día nuevas incertidumbres, nuevas decisiones, nuevas decepciones. Sin su fe en Dios y en la existencia de un Más Allá donde todo era paz, no habría podido sobrellevar las dificultades de la existencia diaria. Sin su convicción de que Dios tenía algo planeado en relación con su vida, de que la había hecho comprar aquel salmón por algún motivo, Maya habría tirado la toalla. Algo de lo que implicaban estas últimas reflexiones la hizo pararse en seco. Dejó de meter rollos papel de váter en el carrito y se puso a pensar. Si Dios le había hecho comprar aquel pescado era por algún motivo, y ahora entendía con claridad cuál era ese motivo. La cena fúnebre era en honor de un miembro de la familia Surti. Eran gente muy rica; escandalosamente ricos, de hecho. Por supuesto que tenía que presentarse con aquel salmón. Sin duda, el muerto estaba acostumbrado a comer platos como ese, probablemente se los pedía a diario a su cocinero (según había oído decir Maya, tenían tres cocineros en la casa). Sería una aportación perfecta, que se recibiría con agrado y causaría una excelente impresión. Maya sonrió para sí.

—Mamá... —la llamó Leyla, apagando el móvil mientras hacían cola en la caja—. Este fin de semana me voy a Oxford.

—¿Oxford? ¿Por qué a Oxford? A Oxford uno va a estudiar a la Universidad, no a pasar el fin de semana.

Leyla se limitó a mirar en silencio a Yasmin, que suspiró y empezó a dejar el contenido del carrito sobre el mostrador de la caja.

—Está solo a una hora de camino. ¿Por qué tienes que pasarte todo un fin de semana allí?

—¿O sea que si voy a un sitio que esté a tres horas puedo quedarme a pasar la noche? —replicó Leyla.

—¿Con quién vas? —preguntó Maya.

Esta vez, Yasmin lanzó una mirada pícara a su hermana, que se cruzó de brazos.

—Nadie. Alguien a quien conozco y que tiene que ir por trabajo.

Una sonrisa cómplice asomó al rostro de Maya.

—¡Ah! ¡Ali!

—No, no. No es Ali. ¿Es que todo tiene que girar en torno a Ali? —La voz de Leyla transmitía pura irritación.

—Pues no lo entiendo —insistió Maya, quejosa.

—Pero ¿qué hay que entender? —la interrumpió Yasmin—. Una amiga la ha invitado a pasar el fin de semana en Oxford. No veo el problema.

Descrita así la situación, Maya tampoco veía ningún problema, pero no estaba dispuesta a enfadarse sin motivo. Aunque tuviera que pasarse todo el día buscándolo, encontraría alguno. Se volvió hacia Yasmin, que se tambaleaba bajo el peso del salmón.

—¿Qué llevas ahí, mama? ¿A Moby Dick?

—Trata eso con cuidado, jovencita. Me ha costado un riñón.

—¡Y se comerá todo lo que llevamos en el carrito! —bromeó Yasmin.

Leyla sonrió, pero también descubrió sorprendida que Yasmin, a pesar de su sonrisita socarrona, la observaba con ojos inquisitivos. Desvió la mirada y empezó a meter los productos en las bolsas del supermercado, decidida a llamar a Ali cuando llegaran a casa para aliviar su sentimiento de culpa.

Capítulo 6

El fin de semana de la reunión, Lamia llegó a Oxford equipada con la tarjeta de crédito de su padre y las detalladas instrucciones de su madre sobre el ajuar de Tala. En realidad no tenía muy claro qué podría comprar allí. Era una ciudad bonita, pero no había más que museos y actividades culturales. Que ella supiera, no había ni siquiera una tienda de Gucci. Sin embargo, era la primera vez desde su boda que viajaba sin su marido, que se había quedado en Amán, ya que el doble propósito del viaje (la organización de las conferencias benéficas y las compras para la boda) no eran suficientemente importantes para dejar el trabajo. Lamia había disfrutado mucho volando en solitario y tenía un culpable sentimiento de libertad. Todos los viajes que hacía con Kareem estaban meticulosamente planeados, lo cual, sin duda, tenía un lado positivo, ya que el concienzudo control de su marido le permitía a ella adoptar una especie de estado automático en el que no tenía que preocuparse de cosas como los pasaportes, los horarios o las maletas. De todos modos, al final de cada viaje se sentía extenuada psicológicamente, porque Kareem tenía tendencia a ser obsesivo. Su ropa, por ejemplo, tenía que estar doblada de determinada manera, y ni los empleados de la casa ni la propia Lamia podían ayudarle. Tenía su propio sistema de hacer la maleta, como tenía sistemas para casi todo, y seguirlo adecuadamente le servía para introducir el máximo de prendas (además de un neceser y un maletín para las cosas de trabajo) sin que nada se arrugara innecesariamente. Este aspecto de su personalidad era una de las cosas que Lamia había encontrado atractivas durante el breve período en que habían sido novios. Dentro de ella bullía un abismo de inseguridad, que Tala y Zina atribuían a su necesidad insatisfecha de atraer la atención de su madre (era la hermana del medio y la habían descuidado más que a las otras dos), combinada con un carácter naturalmente indolente. A Lamia, este discurso psicoanalítico y americanizante no la convencía. Lo que sabía era que las rutinas cuidadosamente calculadas de Kareem, su meticulosa atención a los detalles, la tranquilidad que le causaba saber que todo estaba en el sitio correcto —más aún, saber que todo objeto y toda persona tenían un sitio correcto—, todo ello, incluso la perfección convencional de sus rasgos, a ella le resultaba infinitamente tranquilizador.

Sin embargo, durante los dos primeros años de matrimonio, había descubierto también que su marido podía ser cansino, incluso agotador. Algunos días Lamia echaba de menos levantarse tarde y hasta desayunar en la cama, algo que Kareem nunca toleraría, porque un desayuno en la cama producía migajas, y la mera idea de encontrar migajas entre las sábanas, de que hubiera invisibles partículas de comida agazapadas entre los pliegues de tela, contaminando durante horas su espacio nocturno, le resultaba imposible de aceptar. Y había tardes en que Lamia, al apartar el libro que estaba leyendo, acariciaba la idea de dejarlo allí mismo. Una o dos veces lo había hecho, pero unos momentos después de que Kareem volviera de la oficina, Lamia había descubierto que el libro volvía a estar en la estantería, donde no se podía negar que era más fácil volver a encontrarlo, gracias al lógico sistema de alfabetización implantado por su marido.

Lamia reflexionó sobre todas estas cosas mientras el coche que la había ido a buscar al aeropuerto la acercaba a los edificios antiguos del centro de Oxford. Los aspectos positivos (intentaba recordarse a sí misma que eran positivos) eran que Kareem era un hombre honrado, de moral sólida y valores correctos. Tenía un encanto, un sentido del humor que Lamia no había visto muy presente entre los varones árabes que conocía, y también le gustaba que fuera capaz de hacer reír a sus amigos, e incluso a Sam y Reema, en las cenas y en las fiestas. La forma en que trataba Kareem a sus suegros, y el agrado con que lo había aceptado Reema, evidente para Lamia desde la boda, también eran cosas de agradecer. Además, Kareem era liberal. Le había dejado mantener su despacho en Amán, en la empresa de su padre, y siempre se acordaba de preguntar cómo iban las cosas en el negocio familiar. No se podía negar que mostraba mucha consideración hacia ella, algo que no solían hacer los maridos de sus amigas. Lamia se alegraba de conservar su despacho en la empresa, la ayudaba a centrarse. No quería volverse como esas mujeres que, en cuanto sus maridos se marchan a trabajar, no tienen nada mejor que hacer que ir al gimnasio y después a tomar café. Ella pensaba seguir trabajando por lo menos hasta que tuvieran hijos, y luego se dedicaría a cuidarlos. A veces pensaba que la vida estaba hecha de algo más, que debía de haber alguna chispa capaz de elevarla a otra dimensión. De hecho, era lo que había sentido al principio de estar con Kareem, pero esta sensación la había abandonado hacía ya tiempo, erosionada por la rutina, la monotonía y la familiaridad; aún podía recuperarla ocasionalmente si se esforzaba, si bien cada vez se acordaba menos de intentarlo.

Fuera del coche, el sol del mediodía arrojaba una luz discreta y tamizada, muy distinta al fuerte resplandor de Amán. Cuando pararon frente al hotel, Lamia se atrevió a quitarse las gafas oscuras. Aunque no hubiera buenas tiendas, la ciudad tenía algunas zonas bastante bonitas, y además Lamia se alegró de comprobar que no tenía que compartir habitación con su hermana porque Tala estaba acompañada de una amiga, lo que le permitiría disfrutar a solas de las sábanas impecablemente planchadas.

En la cafetería donde habían desayunado, Tala apagó el móvil y volvió a guardarlo en el bolsillo.

—Un mensaje de Lamia —explicó—. Ya está en el hotel.

—¿Vamos a buscarla?

Tala negó con la cabeza.

—Démosle una hora para ducharse y cambiarse. Tienes tiempo de ir a la librería. Venga, yo te espero aquí.

—¿Qué harás? —preguntó Leyla—. ¿Tomar otro café?

Tala asintió, sacó dos revistas del bolso y sonrió.

—Quiero volver a leer tus relatos.

—Huy, entonces te dejo —dijo Leyla, sonriente.

Tala la miró mientras se alejaba entre las mesas, con un caminar entre torpe y tímido, como si se diera cuenta de que la observaban. Ya en la puerta, Leyla se volvió para despedirse con un gesto. En ese momento el sol la iluminó, bruñendo su piel y haciendo que su pelo resplandeciera. Tala agitó la mano también, y enseguida bajó la vista.

Se había esforzado mucho para que su nueva amistad con Leyla siguiera siendo lo que era, para impedir que escapara de su control y alcanzara los confines más ocultos de su corazón. Era algo que le había sucedido una o dos veces anteriormente, con otras mujeres por las que había sentido una conexión inmediata y, sin saber cómo, la amistad había ido derivando hacia algo más, algo que no estaba bien, y que le hacía pensar que tenía una flaqueza o una tendencia que necesitaba corregir. En cualquier caso, no tenía ganas de atravesar otra vez los viscosos pantanos de desesperación y autodesprecio que habían acompañado esos momentos de su vida. Sin embargo, Leyla había empezado a llenar un hueco en su corazón, un deseo de intimidad, de contacto amistoso. No hacía mucho, Tala había creído que Hani llenaba ese hueco, porque también era un buen amigo, alguien con quien reía y con el que aprendía cosas, pero en los últimos meses habían estado distanciados, él trabajando en Amán y ella en Londres, y Tala, al ver que Leyla empezaba a introducirse en sus ensoñaciones diurnas, se había dicho que no era tan malo desear una amistad. Sin embargo, sabía que era esencial dejar de fijarse en cómo resplandecía el pelo de Leyla con el sol y qué matices de color tenían sus ojos, abandonar aquella constante y silenciosa comunicación basada en la intensa intimidad de las miradas.

Tala echó una ojeada a las revistas que tenía en el regazo. Habían sido estas revistas, que Leyla le había prestado con cierta vacilación después del teatro, lo que había empezado, con demasiada facilidad, a minar su resolución. Había descubierto, con más placer que asombro, que los relatos de Leyla eran excepcionalmente buenos. Contenían una gran diversidad de situaciones y registros, pero hablaban de amores conseguidos y finalmente perdidos, un tema clásico que Leyla trataba con delicadeza y que sin embargo inducía en Tala una deliciosa nostalgia que impregnaba toda su actividad durante horas. Y allá, en medio del bullicio de la cafetería, mientras empezaba a releer las palabras escritas, Tala volvió a notar en la lengua el suave y delicioso sabor de la melancolía.

Se preguntó cómo Leyla podía ser capaz de evocar emociones y sensaciones simplemente poniendo palabras sobre el papel. ¿Por qué escribía? Parecía absolutamente lógico que Leyla poseyera aquella capacidad, y al mismo tiempo casi inverosímil, porque era una persona muy discreta, que estaba casi todo el tiempo callada. Y sin embargo, en sus páginas había inteligencia, expresividad, pasión.

Cuando volvió a oír el sonido del teléfono, sin abandonar del todo sus nebulosas reflexiones, Tala pensó que podía ser Leyla y descolgó con rapidez.

—Hola, cariño —dijo la voz.

Tala dio un respingo.

—¡Hani!

—¿Llamo en mal momento?

Tala lo tranquilizó, explicándole que solo estaba leyendo.

—Espero que no sea un contrato...

—No, no son contratos —contestó Tala, lanzando una mirada culpable a las páginas abiertas de la revista—. ¿Cómo estás, Hani?

—Te echo de menos.

—Y yo a ti —repuso Tala.

—¿De verdad?

—Claro —contestó Tala, deseando que Hani no insistiera—. ¿Cómo está mi ciudad favorita? —preguntó, recurriendo a la ironía para disimular su incomodidad.

Hani le contó que Amán estaba como siempre, que nunca cambiaba nada. Tala le escuchó describir las batallas que tenía que librar en el ministerio, y las bajezas de la política se filtraron incluso en las cadencias relajadas de la voz de Hani. Intentando animarla, Hani cambió de tema y le contó la excursión que había hecho a Wadi Rum durante el fin de semana.

—Estaba espectacular, Tala —le contó—. No había más que el desierto, el cielo estrellado y esas montañas tan espectaculares. Un día tenemos que ir los dos.

—Me encantaría —dijo Tala.

Tal vez era lo que necesitaba. Dejar de pensar en las cosas que aborrecía de su país —la sociedad pendiente de su ombligo, la mentalidad obsesionada con las tradiciones—, y limitarse a disfrutar de sus bellezas naturales. Se imaginó el paisaje desértico de Wadi Rum por la noche, y pensó en lo impresionante e inspiradora que podía llegar a ser su espectacular belleza. Hacía quince años que no había estado allí.

—Vayamos cuando vuelva para la boda —propuso con decisión—. Serán unas semanas de locura. Nos vendrá bien escapar un par de días.

—Sería genial —replicó Hani.

Tala notó que su voz reflejaba verdadera alegría. Le era muy fácil desvelar emociones en él. Frunció el ceño.

—Te echo de menos, Hani —dijo.

—¿Quieres que vaya a verte?

—No, no vengas —dijo Tala—. No puedes dejar el trabajo, y yo tengo mucho lío por aquí. Nos veremos muy pronto.

—Ya lo sé —contestó Hani—. Te quiero.

—Yo también —contestó rápidamente Tala, y colgó.

Tras guardar las revistas en el bolso, pidió otro café, cogió un periódico que alguien se había dejado en la mesa de al lado y se dispuso con gesto resuelto a leer lo que estaba pasando en Oriente Próximo.

Lamia se había envuelto en el albornoz, después de tomar un largo baño, cuando oyó que su hermana llamaba con insistencia a la puerta. Tala la saludó con un abrazo y acto seguido se inclinó para estamparle un beso en la mejilla, pero Lamia sonrió incómoda y se apartó. Como de costumbre, la aturdía un poco la cordialidad de Tala, su caluroso entusiasmo. Aquella nerviosa energía, aquel brío, no eran algo fácil para Lamia, que era más silenciosa y observadora y rehuía los extremos de actividad o de emoción.

—Estás espectacular —dijo Tala.

Era verdad. Lamia siempre había sido guapa, pero ese día la envolvía un aura que la hacía aún más atractiva. Había perdido un poco de peso, lo cual afilaba sus pómulos elevados y hacía que sus ojos soñadores parecieran todavía más grandes. Tala se volvió y entró en el dormitorio, donde apagó el televisor de pantalla alargada que estaba emitiendo imágenes de la última escaramuza en Oriente Próximo.

—¿Has visto? —preguntó—. Más conflictos en Cisjordania.

Lamia sabía que debería mostrar interés, pero no podía dejar de pensar que se estaba muriendo de hambre. No había desayunado porque había tenido que salir de Amán muy temprano, y aunque hubiera preferido saltarse la comida, necesitaba tomar por lo menos una ensalada.

—¿Vamos a ir a comer a algún sitio? —preguntó.

—Leyla y yo estábamos pensando en un italiano. Le apetecía pasta.

—No como carbohidratos —dijo Lamia, alarmada.

—¿Por qué?

—Me siento mejor sin ellos —dijo Lamia.

—¿Y qué comes? No es bueno abusar de la proteína —dijo Tala.

Lamia contuvo el impulso de morderse el pulgar. Era muy consciente de que ya se estaba sintiendo a la defensiva, a pesar de que su hermana llevaba menos de dos minutos en la habitación.

—No como carne roja, ¿recuerdas? —dijo.

Durante el breve silencio que siguió, Tala se dijo que Lamia era suficientemente mayor para decidir por sí misma qué tipo de dieta quería seguir. Pero se le había olvidado lo de la carne. Cuando tenía unos catorce años, Lamia había ido a visitar a una amiga que vivía en las afueras de Amán y había visto instalarse a los nuevos vecinos, que llevaron con ellos la vieja tradición de sacrificar un cordero para atraer la suerte a la nueva casa. Horrorizada, Lamia había contemplado cómo el atónito animal bajaba de una camioneta y era arrastrado hasta el patio. Intentó desviar la vista antes de que tuviera lugar la matanza, pero alguien sacó un cuchillo con escandalosa rapidez y degolló al cordero. Lamia contempló boquiabierta, notando la bilis en la boca del estómago, cómo varios pares de manos se hundían en la sangre caliente del animal y pintaban en las puertas de la casa signos que alejaban el mal de ojo. Lloró y la madre de su amiga rió y le habló sobre aquella tradición y su larga historia, pero desde entonces Lamia no había vuelto a comer carne nunca más.

* * *

Durante la comida, Tala observó cómo Lamia apartaba metódicamente, con precisión, los pocos macarrones que le habían caído en el plato, mezclados con las verduras asadas.

—He pensado que esta tarde podríamos ir al Museo Ashmoleano —propuso para no comentar las extrañas costumbres alimenticias de su hermana—. Antes de la reunión.

—Tenemos que ir de compras —fue la lacónica respuesta de Lamia—. Para tu boda.

—En el museo hay tienda —observó Tala, aunque enseguida lamentó su sarcasmo. Era demasiado fácil burlarse de su hermana, pero le costaba controlar el impulso de importunarla.

Lamia apartó el plato y suspiró.

—Tú estudiaste aquí, ¿no, Lamia? —preguntó rápidamente Leyla.

Lamia asintió, pero no dio más detalles porque se quedó mirando cómo Tala cogía un poco de comida de su plato y llevaba el tenedor a la boca de Leyla. Le chocó, porque era un gesto innecesariamente íntimo, además de antihigiénico. Una vez había intentado darle a probar a Kareem algo que le había gustado mucho, pero él se había negado en rotundo y se había pasado un cuarto de hora despotricando contra la multitud de gérmenes que habrían pasado de su boca al tenedor y que en un gesto supuestamente cariñoso ella pretendía transferirle. Su clara explicación había quitado todo romanticismo a la idea, y Lamia ya no había intentado nunca más darle a probar nada. Apartó la mirada, porque ahora Tala se había acercado excesivamente a Leyla y las dos se reían de algo que ella no había entendido. Tala alzó la cara y, con un gesto casual, se apartó un poco.

—Leyla será una gran escritora, ¿sabes? Un día veremos sus libros en las librerías y en las bibliotecas de Oxford.

Miró a su amiga con un orgullo inmenso, como nunca había mirado a la propia Lamia.

—Qué bien —se esforzó en contestar Lamia. Pero Tala se limitó a poner los ojos en blanco.

—Oye, Leyla —añadió Tala con una gran sonrisa—. Podrías sacar una edición ilustrada, para mi hermana...

Lamia cogió el bolso y el abrigo, dispuesta a marcharse. Con Tala de un humor tan bromista, y después de los insultos que había tenido que soportar durante la comida, tenía claro que no pensaba acompañar a esas dos a otro museo. Podía quedarse en el jacuzzi del hotel hasta que fuera la hora de la reunión con el decano, y de todos modos, Kareem la llamaría para ver qué tal estaba, como todas las tardes.

Mientras caminaba con Tala por las calles que separaban las antiguas facultades del centro de la ciudad, Leyla admiró los elegantes edificios de piedra, que los jirones de luz de la tarde acariciaban como regueros de polen amarillo.

—*Esa dulce ciudad con sus chapiteles de ensueño* —declamó Tala. Leyla la miró sorprendida.

—Es un verso de Matthew Arnold —dijo—. ¿Cómo es que lo conoces?

—¿Es que solo los escritores podéis leer poesía? —preguntó Tala, alzando una ceja.

Leyla sonrió con complicidad.

—Oye, disculpa el carácter de Lamia —dijo Tala, cambiando de tema—. No la entiendo. No entiendo su forma de emplear el tiempo, ni su visión de las cosas... Ni su matrimonio. Es esa clase de relación tradicional, controladora, que yo me he esforzado por todos los medios en evitar.

—¿O sea que tu novio no es así? —preguntó Leyla. Tala apenas había hablado de Hani estando con ella, y Leyla había hecho un esfuerzo para acordarse de él.

—¿Hani? Pues no. Nació y se crió en Jordania, pero no es como la mayoría de los hombres árabes. Es muy amable, muy atento. Lo conozco bien. No es manipulador.

—Parece simpático.

Leyla sonrió, intentando controlar el sentimiento de decepción que le producía escuchar las alabanzas del novio de Tala. No estaba bien; como amiga debería estar contenta. Pero Tala, con una mirada profunda y reflexiva, alzó la cara hacia la iglesia, desde la que llegaba el delicado tintineo de las campanas dando la hora.

—Sí, es genial —corroboró, sintiéndose repentinamente incómoda—. Por lo menos yo no he podido encontrarle ningún defecto —bromeó. Pero había fruncido el ceño y su sonrisa se había desvanecido con demasiada celeridad.

—¿Y por qué se lo buscas? —preguntó Leyla.

Había sido un paso atrevido, y Leyla aún estaba asombrada de haberse animado a darlo, pero era obvio que había tocado un punto flaco, porque Tala se apartó un poco y cruzó los brazos sobre el pecho.

—Son las cuatro, tienes que ir con Lamia a la reunión —concluyó Leyla—. Ya nos encontraremos luego en el hotel.

Tala asintió y las dos siguieron caminando hasta la calle principal, donde Tala paró un taxi y subió con prisa al compartimento del pasajero, parando solo un momento para despedirse. Leyla contempló el coche hasta que desapareció de su vista, pero Tala ya no se volvió para agitar la mano.

Los mimos con el tenedor y la intimidad general de la comida habían escandalizado a Lamia. Durante la reunión con el comité organizador (parecía que nunca se acababa), se dejó puestas las gafas de sol y las usó como antifaz mientras observaba cómo Tala hablaba con el decano. Pensó que su hermana tenía mucho mejor aspecto que hacía un tiempo, como si estuviera más vital y resplandeciente, aunque no le vendría mal arreglarse el pelo de vez en cuando. Claro que Tala no tenía la noción del estilo que tenía Lamia, ni estaba suficientemente delgada, y no había noticias de que su proyecto hubiera empezado a generar beneficios. Pese a todo, parecía permanentemente contenta consigo misma. Francamente, Lamia no entendía por qué su hermana dedicaba todo un fin de semana a pasear por Oxford con una amiga cuando tenía que ocuparse de su prometido y de los preparativos de la boda. Aún no tenía claro si Leyla le caía bien o no. Era un chica demasiado callada, demasiado sabihonda, de mirada siempre inquisitiva, y estaba claro que era una mala influencia para Tala, ya que la arrastraba a museos y bibliotecas cuando debería estar comprando.

Para colmo, en el taxi que las llevaba de vuelta a casa, la conversación de Tala se centró exclusivamente en lo maravillosa y llena de talentos que era Leyla. Lamia abrió la ventanilla para reponerse del agobio.

—¿Qué te pasa? —preguntó Tala.

—Nada. Estoy un poco mareada.

—Porque lo único que has comido es un poco de lechuga. Debes de estar hambrienta. Vamos a ir a cenar a...

—No, no quiero cenar. Quiero acostarme temprano.

—Sí, puede que yo haga lo mismo —dijo Tala, y Lamia se dio cuenta de que su hermana esbozaba una sonrisa y apartaba la cara.

¿Qué había de emocionante en acostarse temprano? ¿Y estando con una amiga, además? Evidentemente, Lamia no era tonta. Había observado que a Tala le había sucedido lo mismo anteriormente, con una chica cuyo nombre Lamia ya no recordaba, cuando las dos hermanas estudiaban en la universidad y compartían casa. Debía de hacer unos ocho años de eso, pero Lamia recordaba bien los indicios: aquel resplandor en la cara de Tala, sus miradas soñadoras por las ventanas, sus sonrisas secretas y, lo más evidente, su incapacidad para hablar de nada que no fuera la chica en cuestión.

—¿Cómo empezó a escribir Leyla? —preguntó Lamia en tono conversador, y cerró la ventanilla para escuchar la respuesta.

Cuando más gestos de asentimiento hacía Lamia, más se entusiasmaba Tala. Lamia se dijo reflexivamente que eran los inicios del amor, que llevan al amante a olvidar toda cautela para sumergirse en el sencillo placer de hablar sobre la persona amada. Ella conocía esta debilidad mejor que nadie. A los veinte años se había enamorado locamente de un chico que estaba de capataz en la fábrica de su padre. Este amor le abrió todo un universo, un mundo hasta entonces inexplorado, en el que existía más allá de las penalidades de la vida diaria. Comía cuando tenía que comer, y todas las noches, en la soledad de su habitación, se dedicaba solamente a pensar en él. Pasaba días enteros en el trabajo con la sonriente docilidad de una idiota, sin saber qué hacía ni por qué. Se emocionaba con el azul claro y frío que el amanecer extendía sobre el caótico horizonte de Amán, pensando que al otro lado de la ciudad su amante también estaba contemplando la salida del sol. Era un joven inteligente y amable, de una integridad excepcional, que no se avergonzaba de trabajar para ganarse la vida en lugar de ser propietario de un negocio. Esta desventaja, la disparidad de sus respectivas situaciones económicas, quizá habría podido solventarse con tiempo, paciencia e insistencia por parte de Lamia, pero además él era musulmán, y Lamia sabía que esto era un obstáculo imposible de salvar. Él le dijo que su familia nunca la aceptaría si seguía siendo cristiana, y ella sabía que la suya tampoco toleraría una conversión al Islam. Mantuvieron la aventura en secreto durante tres meses, pero al final Lamia estaba tan inflamada de pasión que pensó que reventaría si no se lo contaba a alguien. Tala estaba en Estados Unidos y Zina en un internado de Suiza, y en Amán, Reema era la única persona con la que Lamia se encontraba al final de cada jornada, esperando, preguntando, derribando con cautela la reticencia que había percibido en su hija, como si notara el aroma de un lirio que se marchita en la oscuridad. Lamia terminó confesándole la historia a su madre, y Reema la escuchó hablar mientras le apoyaba una mano tranquilizadora en la espalda y le dirigía una mirada de comprensión. Pero a la mañana siguiente, al llegar a la oficina, Lamia se enteró de que su amigo ya no estaba. Lo habían despedido, y más tarde supo que le habían recomendado encarecidamente que no intentara verla ni ponerse en contacto con ella, aunque fuera en secreto.

Al llegar al hotel, sus dotes de observación captaron la prueba definitiva, porque Tala confesó que estaba nerviosa por la boda, pero no por el menú o por el vestido, sino por si tomaba la decisión correcta.

—Todas las novias están nerviosas —contestó Lamia mientras subían las escaleras de la entrada.

Se paró y miró a su hermana. Tala tenía una expresión cansada, y desvió la cara para no sostener la mirada de Lamia. Lamia sintió una súbita compasión por su hermana.

—Nunca encontrarás a otro como Hani —la advirtió—. Y él te adora.

—Sí —reconoció Tala.

—Lo que te hace falta es dormir un poco —dijo Lamia con amabilidad—. Por la mañana lo verás todo diferente.

Capítulo 7

De hecho ya estaba viéndolo todo diferente, pensó Tala mientras entraba en la habitación que compartía con Leyla. Por la mañana, al llegar al hotel, el sol que iluminaba las paredes color crema y los muebles falsamente antiguos envolvía en un aura de inocencia la cama doble que destacaba en el centro de la estancia, pero ahora el crepúsculo se había llevado la luz del día y la lámpara que iluminaba la habitación, junto con la música que salía de la radio —una sensual voz árabe— creaban un ambiente romántico que quizá no era el más adecuado para la ocasión, pero que al mismo tiempo resultaba incitante.

Tala oyó el ruido de la ducha y vio la rendija de luz que asomaba bajo la puerta del baño.

—Ya estoy aquí —anunció, golpeando discretamente con los nudillos—. ¡Tápate cuando salgas!

Pestañeó. ¿Por qué había dicho eso? ¿Por qué daba a entender que salir destapada no era correcto? Al fin y al cabo, eran dos chicas. ¿Qué importancia tenía que Leyla apareciera en sujetador?

De modo que Tala sacó un botellín de agua del minibar y se sentó algo tensa al borde de la cama, esforzándose en vano en borrar de su mente la imagen de Leyla en ropa interior.

Leyla salió de la ducha un poco nerviosa. Durante las horas de la reunión había echado de menos la compañía de Tala, pero en cuanto oyó el golpecito en la puerta que anunciaba su regreso, sintió un nudo nervioso en el estómago y no se le ocurrió nada normal que decir. Si era sincera consigo misma, tenía que reconocer que la idea de compartir la cama con Tala, de pasar la noche con ella, había añadido un inesperado matiz de excitación a sus actividades de la tarde, pero al mismo tiempo la había turbado, porque la excitación era exclusivamente suya, y quedaría —debía quedar— insatisfecha. Tala se iba a casar, amaba a alguien, a otra persona. Sin embargo, Leyla no podía apagar automáticamente la emoción que había empezado a correrle por las venas, y sabía que tendría que soportar varias horas de oscuridad al lado de Tala manteniéndose quieta y callada, para que su amiga no adivinara los sentimientos que tanto se esforzaba en ocultar. Abrió la puerta del baño y entró en la habitación intentando comportarse de un modo natural y relajado.

* * *

Tala alzó la cara y vio a Leyla frente a ella, expectante, intentando calibrar sin palabras su estado de ánimo, sus sentimientos, tal como solían hacer últimamente. Tenía el pelo mojado. Iba vestida, pero llevaba una camiseta de tirantes que le ceñía despreocupadamente el abdomen y el pecho y dejaba a la vista los esbeltos músculos de sus brazos. Tala ahogó un suspiro y apartó la mirada, lo que hizo que Leyla le preguntase qué pasaba. A Tala no se le ocurrió ninguna respuesta y no dijo nada.

—¿No ha ido bien la reunión? —preguntó Leyla, dando un paso hacia ella. Tala retrocedió un poco.

—Ha ido muy bien, gracias.

¿Por qué se apartaba de ese modo? Era evidente que estaba preocupada por algo.

—¿Qué te pasa, Tala?

—Nada, estoy bien —dijo Tala, negando con la cabeza—. ¿Tienes hambre?

—Un poco. ¿Quieres salir a comer algo?

—Si te apetece...

Tala notó que Leyla se sentaba a su lado en la cama y que sus ojos la observaban, analizándola e interrogándola, pero no fue capaz de devolverle la mirada. Se sentía rara, disgregada de sí misma, y no tenía ganas hablar de ello.

—¿Quieres que pidamos la cena al servicio de habitaciones? —propuso su amiga.

—De acuerdo.

En vez de levantarse y cruzar la habitación para coger el teléfono que había junto a la butaca, Leyla pasó el brazo frente a Tala para alcanzar el de la mesilla. ¿Por qué tenía que comportarse así?, se preguntó Tala. Se puso nerviosa al percibir la fresca fragancia de la piel y el pelo mojado de Leyla, y sin poder evitarlo clavó la mirada en el brazo moreno que pasaba frente a sus ojos y en los largos dedos que atrapaban el teléfono. Tala se dio cuenta de que avanzaba un poquito, muy poco, y de que sus labios rozaban el hueco del codo de Leyla y percibían el sabor limpio y fresco de su piel. Notó que el brazo de Leyla se tensaba levemente, pero no se retiraba. Vio que el teléfono caía sobre la mesilla, advirtió que Leyla acercaba la mano a su cara y le acariciaba la mejilla, y en ese momento sus ojos se cerraron, bloqueando todo pensamiento y dejándole tan solo la sensación de la caricia de Leyla sobre su cara, el recuerdo de su piel bullendo en sus labios.

—Mírame —susurró Leyla—. Mírame.

Tala la miró, pero al volverse quedó aún más cerca de Leyla, y sus ojos se demoraron un largo momento en sus líquidas pupilas, y cuando bajó la vista hacia la boca de Leyla, abrió la suya inconscientemente, volvió a darse cuenta de que se inclinaba hacia adelante y sintió sus labios rozando los de Leyla, muy suavemente, en un contacto que se reflejó en todo su cuerpo y despertó un deseo que había estado negándose hasta el último momento. Se apretó contra Leyla, cubriendo su boca con la suya hasta sentir el delicado dibujo de su lengua. Gimió, emitiendo un sonido suave que no pudo controlar, pero no dijo nada porque no había nada que decir.

De lo único que era consciente era de las manos de Leyla sobre su cuerpo, deslizándose poco a poco bajo su camisa, acariciándole la espalda y los costados y subiendo hasta sus pechos, envolviéndolos, rozando con el pulgar los pezones que se erguían bajo el sujetador. Y de la boca de Leyla en su cuello, dibujando una línea ondulante hasta su oreja, emitiendo una respiración rápida y anhelante. Los dedos de Leyla le abrieron los botones de la camisa, se la deslizaron hasta más abajo de los hombros, le quitaron el sujetador, y Tala se desplomó sobre la cama, con Leyla encima de ella, dibujando con su lengua un camino hacia sus pechos, y sus manos se movieron por la espalda de Leyla y bajaron hasta acariciar la línea sedosa que se abría entre sus muslos. Leyla tomó aliento con un fuerte suspiro cuando Tala llegó al centro de su cuerpo, y juntas empezaron a moverse la una contra la otra, en un ritmo que ninguna de las dos tuvo que buscar.

Dando grandes pasos por la insulsa moqueta de la habitación de hotel, Lamia escuchaba la voz de Reema, que sonaba sorprendentemente clara en el móvil pegado a la oreja.

—Supongo que le habrás comprado ropa de colores —preguntó Reema.

—Tala piensa que el gris es un color. Además no les apetecía ir de compras.

Esta última frase había sido fruto de un movimiento calculado. Lamia se mordió una uña mientras seguía dando pasos y miró el televisor silenciado en busca de apoyo. Reema captó de inmediato la alusión.

—¿«Les»?

—Ha venido con una amiga. Leyla.

—¿La judía india?

Lamia frunció el ceño, desconcertada.

—La india. No sabía que era judía. En fin, supongo que está bien que Tala tenga una amiga íntima.

—Mmm... —contestó Reema—. Lo que estaría bien sería que volviera a tiempo para los preparativos de la boda.

—Esa es otra...

Lamia vaciló un momento. Podía convencerse a sí misma de que había mencionado a Leyla en la conversación por casualidad, sin intención de preocupar a su madre, pero el siguiente paso requería una decisión más consciente, ya que se trataba de revelar información que Tala había compartido con ella en privado, de hermana a hermana.

—¿Lamia? —insistió Reema al otro lado del teléfono—. Ya sabes que a veces Tala necesita que le indiquen qué es lo mejor para ella.

Lamia oyó un largo suspiro y se imaginó a su madre sentada en el vestidor de la casa de Amán, fumando, esperando. Esperando.

—Dice que quiere quedarse unos días más en Londres —dijo Lamia, sentándose en la cama.

Sin verla, Lamia se dio cuenta de que su madre fruncía el ceño.

—Dijo lo mismo en la segunda fiesta de compromiso... ¿o fue en la primera? ¡Y ya no volvió para la boda!

—Seguro que no es igual, mamá.

No hubo respuesta.

—¿Mamá?

Un poco asustada, Lamia llamó de nuevo a su madre, pero lo único que oyó fue el chasquido resuelto con el que esta colgó el teléfono. Moviendo nerviosamente el pie, Lamia sintió un repentino arrebato justiciero. Estaba haciendo lo que debía: salvar a Tala de sí misma. Igual que había hecho su madre por ella unos años atrás. Ahora comprendía que su pasión juvenil era inmadura y tenía pocas posibilidades de perdurar (este tipo de arrebatos no suelen durar mucho) y que, cuando su cuerpo dejara de estar abrasado de amor, ella habría quedado envuelta en la extenuante batalla de los musulmanes contra los cristianos. Pese a todo, estaba convencida de que habría tenido el coraje necesario para librarla, aunque Reema había asegurado que no y la había dejado sin posibilidad de elegir. Y viéndolo en retrospectiva, a Lamia le convenía pensar que la opinión de su madre era acertada, si quería conservar la serenidad.

Tala se despertó en mitad de un sueño cargado de cálida y lánguida intimidad y se encontró con la implacable luz de la mañana y el insistente sonido del móvil. Apartó con cuidado la mano del cuerpo dormido de Leyla, cogió el teléfono y se incorporó. Sabía quién era, y se dirigió rápidamente al baño para atender la llamada.

—Hola, Hani. Sí... No... Estoy bien. Sí, todo va bien, es que estaba durmiendo.

Tala oyó que Leyla se removía en la cama y supo que estaba despierta y la escuchaba.

—Oye, ¿puedo llamarte yo más tarde, cuando me haya levantado? —preguntó, envolviéndose rápidamente en el albornoz. Asintió aliviada—. Vale, gracias, Hani.

Y entonces llegó la etapa que hubiera querido evitar: el final de la llamada. Pero Hani la quería y no podía evitar decírselo, y ella no podía reprocharle que se lo dijera, y cuando oyó su voz alegre y enérgica, sintió un arranque de cariño hacia él.

—Yo también te quiero —susurró.

Colgó, llena de sentimiento de culpa hacia su novio y hacia la mujer que seguía acostada en la cama. Se lavó la cara rehuyendo su imagen en el espejo y se lavó los dientes con rapidez, pensando en lo que había sucedido durante la noche. Cuando Tala salió del baño, Leyla aún tenía la cabeza apoyada en la almohada, pero sus ojos, llenos de incertidumbre, se clavaron en ella. Tala se sentó al borde de la cama y se inclinó para besar el hombro de Leyla.

—¿Habías hecho esto antes? —le preguntó Leyla, incorporándose.

Tala apartó la mirada.

—¿Acostarme con una chica mientras mi novio se encarga de los preparativos de la boda? —Reflexionó un momento y negó con la cabeza—. No. No lo había hecho nunca.

—Ya sabes a qué me refiero.

Tala suspiró. No le gustaba que la obligaran a adentrarse en un espacio donde tendría que recordar cosas, sentimientos, que solo se atrevía a rememorar de vez en cuando, en la efímera suspensión de la somnolencia. Cosas de las que no había hablado abiertamente con nadie. Pero pensó que, si había alguna persona en el mundo que mereciera oír todo eso que prefería mantener en privado, era la mujer de ojos transparentes que yacía desnuda en la cama del hotel.

—Cuando tenía dieciocho años —empezó Tala—, en el primer año de universidad, me enamoré locamente de una chica. —Notó que se ponía colorada al pronunciar estas palabras—. Duró unos meses, unos meses maravillosos. Nunca me había sentido tan... tan viva —balbuceó—. Tan completa.

—Hasta ahora, por supuesto —repuso secamente Leyla.

Tala sonrió y se inclinó para besarla, hundió la cara en la melena de Leyla y aspiró su suave fragancia, hasta que su corazón empezó a calmarse. La mano de Leyla subió hasta su nuca. Oyó que Leyla preguntaba en voz baja:

—¿Qué pasó?

—Rompí con ella. Estaba destrozada, pero me dije que era lo mejor. Que estaba lejos de casa, me sentía sola y... —Tala dejó de hablar y cambió de posición, apartándose de Leyla.

—¿Y ahora?

—No es posible vivir así, Leyla —dijo—. No es fácil. No está aceptado.

—Anoche no hicimos nada malo, Tala.

—En mi país sí lo sería. Nadie vive así. No abiertamente.

Leyla suspiró.

—Pero ahora vives en Occidente.

Tala bajó la vista y su voz se volvió áspera.

—Sí, pero me parece que no hay ningún lugar en el mundo donde esté bien visto que una engañe al hombre que se va a casar con ella.

En la habitación se instaló un hondo silencio, roto solamente por el ruido de los coches que pasaban. Tala vio que Leyla asentía y cerraba los ojos. Se le acercó con vacilación, la rodeó con sus brazos y la besó en la cabeza y en la cara.

—¿Y ahora qué? —susurró Leyla.

—No lo sé —dijo Tala, besando una lágrima que escapaba entre los párpados cerrados de Leyla—. De verdad que no lo sé.

Capítulo 8

Cruzaron pocas palabras durante el viaje de vuelta a Londres. Incluso cuando Lamia ya se había bajado del coche en Sloane Street para ir de compras, Tala y Leyla siguieron sentadas sin decir nada, con el silencio aposentado entre las dos, como un invitado indeseado. Tala se acercó instintivamente a Leyla y le oprimió la mano con ansiedad.

—Quédate a pasar la noche conmigo —dijo en voz baja—. Por favor.

—Y después, ¿qué?

Tala movió la cabeza. En su cerebro se levantaba una pared que bloqueaba el acceso a la respuesta. Leyla cambió de posición en el asiento y se inclinó hacia Tala para besarle la boca.

—Por favor, quédate —volvió a pedirle Tala—. No puedo pasar la noche lejos de ti.

Pararon delante de su casa.

—Aún sería más difícil —dijo Leyla.

Sin embargo, abrió la puerta del coche, bajó y observó cómo Tala ponía la llave en la cerradura y abría la pesada puerta de la calle. Llevaba horas sin poder pensar, incapaz de concentrarse en nada que no fuera el olor de Tala, su sabor, los recuerdos de la noche pasada. Era una necesidad física que la arrastraba, y sabía que había que tener en cuenta muchas cosas, muchas cuestiones, y sin embargo, cuando Tala cerró la puerta de la calle tras ellas, se acercó y la besó con una pasión ciega y desmedida. De lo único que era consciente era de la tensión de los muslos de Tala pegándose a los suyos y abriéndose paso entre ellos, del roce de sus labios en su cuello, mientras entraban tambaleándose en el salón, donde las esperaba el sofá, tan ancho y tan vacío.

Tala no supo muy bien qué era lo que acababa de oír y que la frenó en seco justo en el momento en que Leyla la atraía sobre ella. Quizá había sido un crujido, el sonido que emitían los tablones del pasillo cuando los pisaba de determinada manera. La cuestión es que se incorporó, con la mano aún enredada en la de Leyla, y se volvió justo a tiempo de ver a su madre de pie en el umbral.

Después de calmarse, Reema había vuelto a telefonear a Lamia y había hablado con ella largo y tendido, tras lo cual había urdido un plan y al día siguiente había madrugado para coger el primer vuelo a Londres, acompañada de su séquito, en el que como de costumbre se encontraba Rani, su fiel ama de llaves. De las tres hijas de Reema, Lamia era la única que de vez en cuando se tomaba el tiempo de comunicarse con ella y le transmitía multitud de detalles, imágenes precisas, sospechas razonadas. Su conversación era mucho más interesante que los fulminantes discursos de Tala o las acusatorias quejas de Zina. Y entre las sospechas que Lamia le había referido a las pocas horas de llegar a Oxford, estaba la de que la hija mayor de Reema había vuelto a encapricharse de una persona desconocida, y la de que esa persona no era Hani, y lo que era peor, no era ni siquiera un hombre.

Reema comprendió de inmediato que había llegado justo a tiempo. Observó la escena: Leyla en el sofá, y Tala inclinada sobre ella, claramente sorprendida. La celeridad con la que las dos se separaron fue una prueba más, si es que hacía falta alguna, de que había algo misterioso flotando en el aire. Entrando con resolución, Reema besó sin rozarlas las mejillas de su hija, quitó importancia con un gesto al hecho de estar de repente en Londres y estrechó la mano de Leyla. Durante unos momentos de tensión las tres permanecieron en silencio, incómodas y corteses, hasta que sonó el teléfono. Una sonrisa cruzó lentamente el rostro de Reema mientras indicaba a Tala que atendiera la llamada.

Desconcertada y nerviosa, Tala cogió el teléfono y contestó. Era Hani. Mientras se saludaban intentó tranquilizarse, sin terminar de creer que su madre hubiera elegido un momento tan inoportuno para aparecer por sorpresa.

—Acabo de llegar de Oxford —dijo Tala, intentando abreviar la llamada. Su mirada iba de su madre a Leyla, tratando de leer en sus labios las frases corteses que intercambiaban.

—Ya lo sé —contestó Hani.

Tala frunció el ceño, con la atención dividida.

—¿Ah, sí? ¿Cómo lo sabes?

—Te estoy viendo.

Tala percibió cierto tono risueño en la voz de Hani y, antes de poder formular un pensamiento coherente, notó un vértigo en el estómago.

—¿Qué quieres decir? —preguntó, angustiada—. ¿Dónde estás?

—A tu lado.

De inmediato, Tala atisbó la vaga silueta que se acercaba por el pasillo y que en el momento de entrar en la habitación se materializó en un cuerpo conocido: Hani.

—A tu madre se le ha ocurrido darte una sorpresa.

Sin la pequeña distorsión del teléfono, su voz sonaba densa y real. Hani se paró frente a ella, alto y sonriente, mirándola con ojos rebosantes de emoción y reverencia. Abrió los brazos y Tala avanzó automáticamente hacia él, como requería la ocasión, como habría hecho sin pensárselo dos veces si no hubiera tenido a Leyla al lado, y enseguida se encontró entre sus brazos, envuelta en la fragancia franca y conocida de Hani, que la abrazó durante treinta largos segundos.

—Te he echado de menos, Tala —dijo Hani—. Ahora podemos volver juntos a Amán.

Reema se sentó y dedicó a Leyla una sonrisa de complicidad por estar asistiendo juntas a la bonita reunión de los amantes. Leyla la miró también; esforzándose como si su vida dependiera de ello, esbozó una mueca parecida a una sonrisa y se derrumbó en el acogedor sofá de cuero. No pudo evitar ver que Hani besaba a Tala en la cara y en la boca y volvía a abrazarla. Miró a Reema porque necesitaba apartar los ojos de la pareja que seguía en el umbral, y cuando Reema extendió la mano hacia el encendedor, Leyla imaginó cuál habría sido su reacción si hubiera sido ella la que estuviera besando y abrazando a su hija al otro lado de la habitación. «Me mataría», pensó con angustia. «Agarraría esa palmerita con sus dedos de uñas largas y pintadas y me prendería fuego a la ropa. Y después mataría a su hija.» Sería una muerte por honor. Leyla había leído algún artículo sobre el tema. No sería un delito sino una obligación, una necesidad, un motivo de celebración.

—Me emociona verlos tan enamorados —confesó Reema, exhalando un hilo de humo que pareció solidificarse en el aire tenso que las separaba. Acto seguido, cogió un pañuelo de papel y se enjugó delicadamente los ojos.

Consciente del sufrimiento de Leyla, Tala intentó apartarse en lo posible de Hani sin que él se diera cuenta. Se quitó la chaqueta y la dobló cuidadosamente, tomándose su tiempo, demorando el momento en que debería sentarse junto a su prometido y aceptar el contacto de su mano, que siempre oprimía la suya cuando estaban juntos. Notó la intensa atención que les dedicaba Reema; era como sentir un aliento frío en la nuca. Tampoco se le había escapado la actitud triunfal de su madre. Estaba segura de que Hani había sido un peón en una de las desagradables jugadas de Reema, pero el disgusto que le produjo pensarlo se vio mitigado por la sincera alegría que mostró su novio al verla. No obstante, su principal preocupación era Leyla. Tala sabía que Leyla lo estaba pasando muy mal, pero no encontraba la manera de aliviar su tortura.

* * *

Para Leyla fue evidente que la mirada de Hani buscaba exclusivamente a Tala, que todo su cuerpo gravitaba hacia ella, feliz, voluntaria, irremediablemente. Por eso la atención que le prestó Hani le pareció especialmente considerada; se sentó frente a ella y estuvo varios minutos preguntándole por su familia, su trabajo, su vida en general. La cálida sinceridad de su mirada hizo que Leyla empezara a sentirse menos perdida, menos asustada.

—¡Me imagino que Oxford os ha gustado! —exclamó Hani con genuino interés—. Los edificios, el río...

—Todo era precioso —contestó Leyla, con una punzada de culpabilidad. Era incapaz de mirar directamente a Tala.

Hani sonrió y oprimió durante un momento la mano de su novia. Tala estaba agradecida de que Hani mostrase interés por Leyla; era muy propio de su carácter abierto y afable, y se sintió culpable por esconderle ciertos sentimientos, por que supiera de ella mucho menos de lo que creía. Cuando apareció Rani para anunciar que la comida estaba lista, Tala se volvió aliviada hacia la puerta.

Leyla se levantó rápidamente, aprovechando la ocasión de improvisar una rápida escapada, porque no se imaginaba compartiendo mesa con la mujer de la que estaba enamorada, su terrible madre y su amable prometido.

—Me tengo que marchar, porque...

—¡Ni hablar! —la interrumpió Reema con rotundidad—. Quédate a comer algo. Así nos vamos conociendo.

Con asertiva elegancia, bloqueó el acceso al pasillo y los empujó a todos hacia los confines del enorme comedor de recibir, donde había cuatro platos puestos en el extremo de una mesa larga como para un banquete. Reema les indicó sus asientos, que había elegido estratégicamente para tener a Leyla a su lado y disfrutar con ella de la visión de Hani y Tala sentados justo enfrente.

—Qué buena pinta —dijo Hani al ver la comida—. Últimamente he estado practicando con la cocina yo también.

—¿Por qué? —preguntó Tala.

—Porque tú no lo haces —contestó Reema—. Y eso que intenté enseñarle —le aseguró a Hani, como si le estuviera ofreciendo una mula que a pesar de sus esfuerzos hubiera conservado su carácter testarudo—. Ya sé que tenemos cocineros y camareros, pero para darles las órdenes correctas hay que saber cómo funciona una cocina.

—Esa es la justificación que me da mi jefe cuando me encarga algún trabajo desagradable, tía. —Hani rió—. Dice que me sirve de experiencia.

—Hani trabaja para el gobierno jordano —explicó Reema mirando a Leyla.

Le encantaba que su yerno (porque ya lo consideraba su yerno) hubiera captado la importancia de su analogía culinaria, pero no entendía por qué siempre se empeñaba en recordar que trabajaba como subordinado. Hani habría podido dedicarse solamente a administrar la fortuna de su padre, pero, ya que insistía en trabajar, Reema había decidido que a partir de la boda intentaría quitarle aquella mala costumbre de autodenigrarse, o como mínimo asegurarse de que ascendía rápidamente. Aunque no estaba muy claro hasta dónde podría llegar, porque Hani tenía dos cosas en su contra, que curiosamente eran las mismas que lo convertían en un partido ideal para Tala: ser cristiano y ser palestino. En toda la historia de Jordania no había habido jamás un cristiano en el cargo de primer ministro. Ahora bien, ¿no podría ser ministro de Exteriores? Reema se animó. Era improbable, pero calculó que no imposible, sobre todo si conseguía convencer a Hani de que no aludiera tanto a sus orígenes palestinos. Aunque la gran mayoría de la población jordana era palestina, había un resentimiento subyacente hacia ellos por parte de los jordanos de pura cepa, pensó amargamente Reema.

—Hani trabaja en el Ministerio de Exteriores —añadió Tala.

Eran las primeras palabras que dedicaba directamente a Leyla desde que había llegado su madre, y Tala apoyó unos momentos la mirada en la joven sentada frente a ella, intentando expresar toda la culpabilidad, la preocupación y la incertidumbre que sentía. Leyla desvió los ojos y se dirigió a Hani:

—¿Eso incluye las relaciones con Israel?

—Sí, también.

—Una labor difícil.

—La más difícil. —Hani sonrió—. Pero espero que al final lleguemos a un consenso. Los palestinos, quiero decir.

Ya estaba otra vez, pensó Reema, molesta. Hani trabajaba para Jordania, no para Palestina.

—¿Y cómo puedes tener esperanza? —preguntó Leyla, expresando no tanto una preocupación política como la angustia que en ese momento le oprimía el pecho—. La mitad de los palestinos no quieren ni siquiera que Israel exista —continuó—, y la otra mitad viven aplastados por los asentamientos israelíes y los tanques.

Hubo un momento de silencio que Reema se disponía a llenar cuando se oyó la voz mesurada de Hani:

—Si no tenemos esperanza, más vale tirar la toalla. —Hani tomó un sorbo de agua y continuó—: En el momento en que los árabes más radicales acepten que Israel existe, que no desaparecerá, que no pueden ni deben intentar derribarlo, podremos pasar a la fase siguiente.

—¿Cuántos modelos de democracia tenemos en Oriente Próximo? —preguntó de repente Tala—. Israel no es perfecto, pero es el que más se aproxima. Deberíamos aprender de ellos.

—¿Qué quieres que aprendamos? —la interrumpió Reema—. ¿Cómo disparar contra niños?

—No estoy defendiendo las acciones de Israel, ni mucho menos —replicó Tala, contenta de poder discutir con su madre, aunque no fuera por el motivo correcto—. Pero no olvidemos que nuestros dirigentes árabes tampoco han tratado bien a su población.

—Esto no justifica lo que hace Israel... —dijo en voz baja Hani.

—No creo que sea eso lo que ha querido decir Tala —intervino Leyla—. ¿O sí?

Por primera vez, las dos se sostuvieron la mirada.

—¡No sé cómo alguien tan antiárabe ha podido salir de mis entrañas! —exclamó Reema.

Tala dio un respingo y fulminó a su madre con una mirada que concentraba toda su rabia, todo su desconcierto, todo su disgusto e insatisfacción con lo que estaba ocurriendo: desde la política de la región hasta la artimaña con la que Reema había traído a Hani a Londres, pasando por su empeño en inmiscuirse en su vida personal. Hani le apoyó una mano en la espalda y Leyla se dio cuenta de que el gesto servía de algo; inducía una pausa, una tregua.

—Tía —dijo Hani, en tono cortés pero firme—: Su hija es una de las palestinas más leales que conozco.

Era obvio que ese hombre estaba coladito por Tala, pensó Reema. Estaba tremendamente ofendida, pero no pensaba discutir más hasta que estuviera firmado el contrato de matrimonio. En el silencio que siguió solo se oyeron los tensos crujidos y gorgoteos de la masticación.

—La comida está deliciosa —murmuró finalmente Leyla.

—¿Te gusta cocinar? —preguntó Reema.

Bajo su mirada penetrante como un láser, Leyla irguió la espalda.

—Sí. Me encanta la comida, y cocinar también.

—¿Qué preparas? ¿Pollo al *curry*? —preguntó Reema.

Tala suspiró exasperada.

—¿Por qué das por supuesto que una persona de origen indio solo sabrá preparar pollo al *curry*? —preguntó.

—¿Qué te pasa hoy, mamá? —exclamó Reema—. Estamos teniendo una charla de sobremesa, como hacen las personas civilizadas. Si no quieres hablar, no hables.

—¿Qué te gusta cocinar? —preguntó Hani, mirando sonriente a Leyla.

—Depende del día.

—Y del humor, ¿no? —añadió Hani.

—Sí.

—A mí me pasa lo mismo.

Leyla suspiró. Era obvio que Hani estaba intentando crear vínculos entre los dos, buscando pequeños puntos en común, pero no podía soportarlo. Notó que se le cerraban los músculos de la garganta, impidiéndole respirar, hablar, todo. El ama de llaves apareció detrás de ella, cargada con una bandejita de plata, y depositó frente a Reema un vasito que contenía un líquido efervescente.

—¿Te encuentras bien? —preguntó Reema, con los ojos ocultos por el humo que flotaba en torno a su cabeza. La imperiosa necesidad de fumar un cigarrillo la atacaba incluso durante las comidas y exigía una inmediata satisfacción, aunque Tala y Zina no entendían su urgencia y siempre protestaban.

—Me duele un poco la cabeza —contestó Leyla con la voz ronca.

—Toma. —Reema empujó el vaso a través de la mesa, ofreciéndole el líquido efervescente. Leyla notó que la criada se removía incómoda a su espalda.

—No, gracias. Solo necesito ir un momento al baño.

Reema sonrió.

—Está arriba. La novena puerta a la izquierda. ¡Rani!

Rani inclinó la cabeza, corrió a abrir la puerta y esperó cortésmente a que pasara Leyla para cerrarla, tras lo cual regresó junto a la mesa y discretamente volvió a acercar el vaso de medicina al plato de Reema.

El cuarto de baño solo sirvió para acrecentar la sensación de angustia que atenazaba a Leyla. Alrededor de ella, los azulejos dibujaban una interminable cenefa de ramas amarillas y verdes que trepaban por las paredes en un ondulante amasijo que se prolongaba por el borde del techo. Cada uno de los estantes que rodeaban el lavamanos estaba repleto de jaboncitos tallados, velas adornadas y frascos de perfume. El conjunto, dentro de aquel espacio confinado, producía un aroma arrolladoramente dulce e inequívocamente artificial.

Leyla abrió el grifo para que no la oyeran, pero también porque la aliviaba contemplar el chorro de agua fresca. Apoyó la frente en el frío cristal del espejo, derrotada, y acto seguido se lavó la cara. El frescor del agua la reconfortó, mitigó un poco su acuciante angustia. De pronto cerró el grifo, se secó rápidamente, salió del baño y se encontró a Tala esperándola al pie de la escalera. Tala le tocó la mano antes de que accediera al vestíbulo.

—¿Qué haces? —dijo Leyla.

—Darte la mano.

—Ya lo veo. ¿O sea que tenemos cinco minutos para hacer manitas? ¿Para mí una noche en Oxford y para él una noche en Londres?

Se dio cuenta de que Tala retrocedía un poco, sintió el miedo que le inspiraba su brusquedad, vio que volvía la cara al oír las modulaciones de la voz de Reema en el salón contiguo.

—No es justo, Leyla... —empezó a decir Tala.

—¿Y qué es justo? —inquirió Leyla en un susurro airado—. ¿Que haga el amor contigo y después entable conversación con tu prometido? —Calló un momento, intentando controlar el tono lloroso que asomaba a su voz—. ¿Cómo puedes soportarlo, Tala?

—No podemos vivir así —dijo Tala—. Nuestras familias jamás lo entenderían.

Quizá tenía razón, pero Leyla pensó que a ella ya no le importaba si la entendían o no.

Observó la mano de Tala enlazada en la suya, sus dedos oprimiendo los suyos, transmitiéndole una necesidad, un deseo. Se inclinó y posó suavemente los labios en aquella mano.

—Lo de anoche no fue una aventura sin más. No para mí, en todo caso. —Leyla alzó la cara y clavó la mirada en los ojos de Tala—. Gracias a ti, ahora sé lo que quiero. Quiero estar con una persona que dentro de diez años siga haciendo que se me acelere el corazón cuando oiga su llave en la puerta. —Vaciló—. Y esa persona eres tú.

Tala estaba a su lado, junto a ella, besándola, y Leyla cerró los ojos, contenta de tener algo claro después de tanta confusión, de haber encontrado la forma de superarla. Tala y ella se querían, y eso era lo único que importaba.

—¿Estás bien, Tala?

La voz preocupada de Hani, que había sonado en el comedor, hizo que Leyla diera un respingo, pero en Tala tuvo un efecto más profundo. Leyla notó que las manos de Tala la soltaban de pronto, excluyéndola.

—No puedo hacerle daño —dijo Tala en voz baja.

—¿Estás enamorada de él?

Leyla la vio vacilar. ¿O era solo una pausa mientras buscaba una excusa amable?

—Hay cosas de él que me gustan.

Leyla la miró muy seria. Detrás de ellas, el reloj del abuelo anunció la hora con su toque sonoro y desolado.

—Es una equivocación, Tala. Dime que puedes hacerlo.

Dio un paso decidido, tomó la cara de Tala entre sus manos y le besó el pelo y las mejillas, aunque no pudo besarle la boca porque Tala se apartó. Leyla la soltó y contempló en silencio cómo Tala daba media vuelta y se alejaba por el pasillo, hasta desaparecer en el oscuro umbral del comedor. Se quedó sola y comprendió que estaba esperando a que Tala reapareciera, a que comprendiera que su vida —su vida verdadera— estaba con ella. Pero lo único que oyó fue la voz de Tala mezclándose con las de los demás en el salón contiguo, y era una voz que sonaba vagamente incómoda y vacilante mientras excusaba la súbita desaparición de Leyla. En silencio, con el corazón encogido, Leyla dio media vuelta y salió de la casa.

Capítulo 9

Tres semanas después

En Amán había hecho un día frío y gris. Cuando cerró la ventana y se metió en la cama, llevándose la mano a la frente y notándola fría, Zina sintió una fugaz nostalgia por el tiempo caluroso y húmedo de Nueva York. Tanto viaje entre Nueva York y Amán, primero para la petición de mano y ahora para la boda, no la ayudaba a encontrarse mejor. Por lo visto, las múltiples pastillas con que la había obsequiado diligentemente su madre en los dos días anteriores no estaban funcionando, a pesar de que Reema tenía un arsenal de medicamentos mejor surtido que la mayoría de las farmacias. En los confines del cerebro de Zina empezó a asomar la posibilidad de que lo que la aquejaba no fuera una gripe sino algo más siniestro, como una monucleosis infecciosa o algún tipo de fatiga crónica. La tangible ansiedad que le produjo este pensamiento se sumó a las demás angustias que se agazapaban como tentáculos venenosos en el fondo de su estómago.

Se oyó el consabido golpe con los nudillos justo antes de que se abriera la puerta de la habitación, y Zina se incorporó de un salto en la cama. Era su padre. A Zina ya se le había olvidado que en la casa familiar no existía la noción de intimidad. Por lo visto, a sus padres no se les ocurría la posibilidad de encontrarse con alguna de sus hijas practicando sexo, fumándose un porro o haciendo cualquier cosa que no requiriese su contemplación.

—¿Qué haces? —preguntó su padre—. Baja. Vamos a cenar dentro de nada.

—¿Con quién? ¿Con nuestros cien mejores amigos? —masculló Zina.

Una rápida sonrisa cruzó la cara de Omar.

—Esta noche estamos solamente Tala, tu madre y yo. Lamia se ha ido a su casa, estaba cansada.

—No me encuentro bien —articuló débilmente Zina, pero no supo si su padre había llegado a oírla antes de marcharse dando un portazo.

Escuchó hasta que dejaron de oírse los pasos rápidos de su padre, que golpeaban musicalmente las baldosas de mármol del pasillo. Sin ganas, Zina fue al cuarto de baño y se peinó. Volvió arrastrando los pies sobre el mullido espesor de la moqueta blanca de su habitación. Bajó la vista y pensó que la moqueta debía de tener algo que ver con su moqueo y su escozor de garganta. ¿Acaso su madre ignoraba la existencia de los ácaros del polvo? En aquella capa de lana de medio palmo debía de haber suficientes bichos como para poblar un país pequeño. Zina se rascó el brazo e intentó tranquilizarse. Faltaba menos de una semana para la boda, y después podría regresar a los suelos de madera y las paredes blancas e impolutas de su apartamento neoyorquino. Se tumbó de nuevo en la cama, conteniendo el aliento para no pensar en la ominosa concentración de motas de polvo y escamas de piel que se habían acumulado durante años en la almohada.

Tal como había imaginado, Lamia comprobó que su marido respondía con interés al tema de conversación que ella misma había introducido discretamente cuando se habían sentado a la mesa de la cena. Kareem tenía tendencia a preferir las malas noticias a las buenas, y cuando hablaba con él, Lamia procuraba adaptar a sus gustos las novedades del día. Cuando oía una información negativa, Kareem podía dedicarse a criticar con mesura a las partes implicadas, lo cual a él lo dejaba contento, y a ella la tranquilizaba. De hecho, Lamia había empezado a reclamar diariamente este reconfortante recordatorio de que las cosas le iban mucho mejor que a los demás, de que las personas que los rodeaban eran infelices por razones que Kareem sabía expresar con gran elocuencia. Oyéndolo hablar, Lamia terminaba convencida de que a ellos no podían afectarles esos problemas, y esta idea era como un bálsamo para el hueco frío y oscuro que albergaba en el fondo de su corazón.

—¿Te lo ha dicho Tala directamente? —preguntó Kareem, mirando boquiabierto a su mujer.

Lamia asintió, aunque no apartó la vista del plato porque estaba separando los trocitos de queso feta que le habían caído en la ensalada. Era un queso cremoso que se deshacía y lo dejaba todo, el pepino y hasta la lechuga, cubierto de residuos grasos. La mera visión de los blancos trocitos de queso contrastando con el verde intenso de las hojas la repugnaba. Apartó el plato, molesta.

—¿Te ha dicho ella que tenía dudas? —insistió Kareem. Miró el plato de su mujer con el ceño fruncido. Una vez más, Lamia apenas había tocado la ensalada. Tendría que decirle a la cocinera que preparara una más pequeña al día siguiente.

—Por supuesto —contestó Lamia, nerviosa—. Para Tala no puede haber un compromiso de matrimonio sin dudas.

Kareem no hizo caso de su sarcasmo. Consideró con aprensión las nuevas posibilidades que surgían e intentó calibrar la importancia del problema. Porque a Kareem le daba igual el novio de Tala. Era un rebelde, un excéntrico, un hombre con el tipo de personalidad que fácilmente puede degenerar en anarquismo. ¡Y ayudaba a gobernar el país!

—¿Qué dudas? —preguntó Kareem—. Ese chico no tiene ninguna pega.

Solo su anarquismo, pensó, y lo que era peor, el hecho de estar a punto de convertirse en yerno de Reema y Omar, es decir, de subir al trono en el que Kareem había reinado a solas en los últimos años. Kareem se había ganado la confianza de sus suegros, había desarrollado un vínculo con ellos que no quería compartir con nadie más, y menos aún con Hani, a quien a veces le costaba entender la sutil jerarquía de las familias y de las comunidades.

—Ya sé que no tiene ninguna pega —dijo Lamia. A ella, Hani le parecía muy guapo y muy amable. Su gentileza transmitía una consideración genuina; bajo la superficie había una sinceridad verdadera, lo cual le resultaba inexplicablemente atractivo—. Pero Tala no tiene claro si siente pasión por él.

—A veces se me olvida que Tala es mayor que tú —dijo Kareem, soltando un bufido—. Se comporta como una adolescente. ¡Pasión...!

Lamia se llevó una mano al entrecejo, donde notaba los latidos de una incipiente jaqueca.

—No es malo querer pasión —declaró, tratando de no usar un tono acusatorio, aunque no lo consiguió del todo.

Sintió cierto temor al pensar en la posible réplica de Kareem y se preparó para defenderse (le dolía la cabeza, no se encontraba bien, solo estaba hablando de Tala...) pero por suerte, su marido no hizo caso de su comentario. Kareem había clavado en el plato sus ojos brillantes y pensativos, mientras iba embutiéndose en la boca cucharada tras cucharada del aromático guiso. Lamia se moría de hambre, pero la mera idea de que aquel cordero con arroz entrara en su estómago le resultaba repugnante.

Kareem se terminó el cordero y Lamia lo miró coger un pan de pita. Tenía la boca seca de cansancio, aunque no sabía qué había hecho para estar tan cansada. Como de costumbre, Kareem partió un pedazo de pan y rebañó el plato. Primero el lado derecho y después el izquierdo, para terminar repasando la parte que más le gustaba, el jugo de carne que se acumulaba en el centro. Con un gesto de satisfacción, se llevó el trozo de pan a la boca y se reclinó en el respaldo mientras lo masticaba. Se sentía lleno de energía.

—¿Qué hacemos esta noche? —preguntó, mirando a su mujer.

Lamia tragó saliva. ¿Podía preguntar? Esbozó una sonrisa discreta y cargada de promesas.

—¿Qué te parece si nos acostamos temprano?

Era la respuesta que él mismo habría querido dar si hubiera sido capaz de reconocer ante sí mismo que tenía impulsos sexuales. Sus ocasionales urgencias carnales le inspiraban una complicada mezcla de deseo y de aversión, porque en el momento del desenlace se sentía completamente confundido y descontrolado. A Kareem le aterraba la posibilidad de que el mundo se derrumbase a su alrededor sin que él pudiera hacer nada más que dar una última y jadeante embestida para saciar sus toscos instintos animales.

—¿Te ducharás antes? —preguntó.

Lamia asintió con un gesto. Se había duchado dos horas antes, después del gimnasio, pero si quería recibir también ella un poco de satisfacción, tendría que volver a lavarse. Se levantó mientras la criada terminaba de quitar la mesa y entró al baño para desvestirse.

Para Tala había algo mucho peor que las batallas que libraba diariamente con su madre por la ropa, los accesorios y demás parafernalia relacionada con la boda: el insomnio. Una vez más, se despertó en plena madrugada, acalorada y enfadada, como si saliera de una pesadilla, aunque no recordaba haber soñado. Se quedó tumbada, tapada con las sábanas de algodón, e intentó respirar con calma, sumirse otra vez en el raro y tranquilizador estado de somnolencia, pero le fue imposible. Su cerebro anuló todos los intentos de volver a dormirse, y abrió los ojos y vio el suave resplandor del alba filtrándose en el vasto dormitorio. La perezosa luminosidad del sol sobre las cortinas antiguas, los estantes de madera tallada y el mármol veteado de la chimenea la tranquilizó. Era en esos frágiles instantes de soledad cuando se ponía a pensar en Leyla. Más que otra cosa, lo que rememoró fue la noche que había pasado con ella en Oxford, la facilidad con la que había conciliado el sueño cuando los brazos de Leyla la rodeaban. Recordaba muy bien la emoción que había sentido, aquella dicha exhausta, y saber que esta felicidad había durado tan poco le llenó los ojos de lágrimas.

En momentos como ese le resultaba inconcebible la idea de casarse con Hani. Y sin embargo, aún más inconcebible era compartir su vida con Leyla, o con cualquier otra mujer. Entre una y otra posibilidad se extendía el sombrío pantano en el que había flotado durante prácticamente toda su vida adulta, en el que había vuelto a sumergirse después de cada compromiso anulado, y del que lamentaba haber sido rescatada por cada nuevo prometido. Era vagamente consciente de que los elementos que conformaban su vida cotidiana —trabajo, amigos, viajes, la confianza con que se enfrentaba al mundo— ocultaban la desagradable certeza de su flaqueza interior.

Se volvió y contempló el despertador dorado que le habían regalado sus padres en la última petición de mano. Solo eran las seis y media. Estaba segura de que su padre ya se habría levantado y estaría sentado en el vasto salón de la planta baja, bebiendo el café tosco y fuerte que le gustaba, viendo las noticias en el enorme televisor, pasando velozmente las páginas de los periódicos, pero Tala no tenía ánimos para charlar con él. Quería seguir reflexionando sobre su problema, tantear el terreno que tanto temía pisar. Tenía la cabeza aturdida por la falta de sueño, pero se esforzó en pensar en su situación. Era normal que las personas, sobre todo las chicas jóvenes, atravesaran fases. En el internado, varias compañeras de curso (ella incluida) se encapricharon fugazmente de alguna profesora, y una o dos de las profesoras habían mostrado predilección por ciertas chicas; en general reinaba una febril atmósfera de deseo que le había hecho pensar que este tipo de excitación era un componente natural en el contacto entre mujeres.

Sin embargo, ser lesbiana de un modo definitivo e irremediable podía ser muy incómodo. En la universidad, cuando estaba viviendo su primera y acalorada pasión, había llegado a imaginarse revelando su posible orientación sexual a sus padres. Ahora bien, cuando se imaginaba contándoselo, nunca se veía en Amán; eran sus padres los que iban a visitarla, y ella se sentaba a tomar algo con ellos en una cafetería cercana a la universidad, tranquila y relajada, rebosante de decisión. Así empezaba la conversación:

«¿Recordáis que siempre habéis dicho que queríais vernos felices?»

Y entonces el sueño se interrumpía, porque en realidad no podía recordar que sus padres hubieran dicho jamás algo parecido. La felicidad era un concepto que parecía totalmente ajeno a sus padres. En todo caso, no era el fundamento adecuado para abordar los asuntos importantes de la vida, como el trabajo o el matrimonio. Tala no pensaba lo mismo, o eso quería creer. Ahora bien, si no estaba convencida de poder ser feliz con Hani, ¿qué estaba haciendo al casarse con él?

Salió bruscamente de entre las sábanas arrugadas, se dirigió al cuarto de baño y dejó correr el agua de la ducha mientras se lavaba los dientes y se desnudaba. El chorro de agua caliente creó una nube de vapor que flotó sobre su cabeza. Tala contempló su imagen en el espejo. El vaho había llegado hasta la superficie de cristal y empezaba a volver opaco el espacio que rodeaba su cara, hasta que su blancura ocultó por completo sus rasgos.

Zina se despertó con la nariz moqueante, ansiosa por comprobar si sus síntomas habían mejorado. Desde niña había sufrido una extrema sensibilidad hacia sí misma y los demás, lo cual la había tenido alterada y nerviosa gran parte de su vida, sobre todo desde que había decidido, a la edad de once años, que su madre no estaba particularmente interesada en su bienestar. Al principio Zina había aceptado muy mal la apatía materna, hasta que en los primeros años de la adolescencia había comprendido que su madre hacía extensiva esta actitud a todas sus hijas por igual, tras lo cual no solo se había sentido rechazada, sino también indignada por sus hermanas. Como no se atrevía a hablar de este tema con Reema, pasaba de la irritación y la desesperación silenciosa a ocasionales rabietas contra cualquier cosa que le pareciera injusta. A los trece o catorce años había iniciado una pequeña y variada campaña de protestas. En el internado se había negado a comer pollo porque procedía de la ganadería intensiva, y cuando volvía a Amán de vacaciones se pasaba largas horas en la enorme cocina, explicando el concepto del sindicalismo al regimiento de criadas indias, que la miraban desconcertadas. En esa misma época se había encarado con el carnicero *halal* que les llevaba el género a casa para convencerlo de que sus métodos de sacrificio eran inhumanos. Al final Reema había decidido que su hija pequeña no podía seguir viviendo en Amán si no aprendía a comportarse con un poco de respeto, con lo que Zina se había pasado la mayor parte de las vacaciones escolares en Estados Unidos o en Londres, con Tala o con Lamia, antes de irse a estudiar a Nueva York, donde había tenido ocasión de reflexionar en libertad sobre las repercusiones que la desatención materna había tenido sobre su psique.

En estos momentos seguía tumbada en la cama, sin ánimos para levantarse. Y lo peor era que se estaba dando cuenta de que ya hacía tiempo que sentía aquella falta de energía, de manera que no podía echarle la culpa a Amán ni a su familia ni a las viejas amigas con las que había quedado esos días y a las que tan ajena se sentía. Quizá sufría una depresión. La depresión era una enfermedad, por lo menos en Estados Unidos, aunque en Jordania se consideraría más bien una descortesía. No obstante, no conseguía congraciarse con la idea de que la depresión en tanto que enfermedad puede requerir medicamentos, y lo que es peor, asistencia psicológica. Su familia nunca lo aceptaría; la clasificarían como a una psicópata y una fracasada, lo que constituiría una paradójica injusticia, ya que era así como los había considerado ella a ellos en los últimos años.

Entró en el baño pensando en estas cosas y arrastrando los pies, y cogió el albornoz. Tenía que salir de aquella habitación y bajar al salón. Tenía que hablar con Tala con un poco de sosiego. Era casi imposible hablar con ella a solas porque todo el tiempo había alguien en la casa, trayendo encargos o pasando a darles la enhorabuena o simplemente a cotillear.

Fue una suerte, por tanto, que al terminar de bajar la escalera y entrar en el espacioso salón, Zina se encontrara con Tala hundida en el sofá, sin nadie de la familia acompañándola. Abu Ali le estaba sirviendo el té. Llevaba treinta años trabajando en la casa, y durante ese tiempo había sido padre de siete hijos y abuelo de quince nietos. Abu Ali había organizado orgullosamente los casamientos de cada uno de sus hijos y de no pocos de sus sobrinos, «para que lo que es de la familia se quede en la familia», según decía. Zina se preguntó si Abu Ali pensaría alguna vez en la disparidad que existía entre la educación de sus hijas y el modo en que habían crecido ella y sus hermanas. Los hijos de Abu Ali trabajaban quince horas al día y sus hijas estaban todo el tiempo en casa, cuidando de los niños, cocinando y limpiando, a menudo embarazadas, absortas en las dificultades de organizar la vida con los magros salarios de sus maridos.

Zina tomó asiento en el imponente sofá de cuero beige y saludó a Tala con un abrazo y un beso. Curiosamente, pensó, Tala tenía peor cara que ella misma. Quizá no eran más que el cansancio y la tensión derivados de compartir durante tres semanas la misma casa que Reema, aunque fuera una casa enorme, sobre todo cuando no faltaban más que unos días para la boda. El conjunto habría sido una tortura para los nervios de cualquiera. Las interminables cenas en las que la futura novia era expuesta como un trofeo, los consabidos consejos sobre el modo de complacer al marido que Reema se sentía en la obligación de pronunciar... Zina se sintió flaquear otra vez.

—¿Tan mal va todo? —le preguntó Tala, sonriente.

Zina negó con la cabeza y sonrió porque la frase no era más que un saludo, pero sin poder evitarlo se puso a llorar desconsoladamente. Y después ya solo fue consciente del reconfortante olor del café y del consuelo de los brazos de Tala alrededor de su cuerpo. Zina oyó que Tala murmuraba algo en voz baja y oyó alejarse a Abu Ali. Al cabo de unos momentos su llanto desconsolado se había convertido en un reguero silencioso de lágrimas, pero seguía manteniendo la misma postura, a pesar de la tensión que notaba en los brazos y las piernas, porque le costaba demasiado abandonar el reconfortante abrazo. Tala callaba, limitándose a apretar a su hermana pequeña contra su pecho y esperar.

Tala pensó que la angustia repentina de Zina era comprensible, casi inevitable. El desconsuelo de su hermana parecía un correlato de lo que ella misma sentía sin decirlo, un reflejo del fino manojo de nervios que alojaba su pecho. Pensó que una boda debería ser un momento feliz y sintió una repentina punzada de culpabilidad. En teoría, la felicidad de los contrayentes debería emanar sobre quienes les rodeaban. Besó la cabeza de Zina. ¿Eran sus sollozos un reflejo de la tristeza que ella misma sentía? ¿Había transmitido a su hermana, sin darse cuenta, su propia y desesperada confusión?

—¿Qué te pasa, *habibti*? —preguntó en voz baja.

Después repitió esta misma frase varias veces, mientras Zina lloraba en silencio. Sin esperar respuesta, Tala repetía la pregunta como si fuera un mantra, un recordatorio de que estaba ahí, preocupándose por su hermana.

De pronto Zina se incorporó y empezó a secarse con la mano el cálido rastro de las lágrimas en sus mejillas, hasta que vio la caja de pañuelos de papel que Abu Ali había dejado discretamente a su alcance.

—¿Qué te pasa, *habibti*? —repitió Tala, oprimiéndole la mano—. Cuéntamelo, anda.

Zina tragó saliva y pestañeó para disipar el líquido salado que le escocía los ojos.

—David ha roto conmigo —dijo.

Frunció el ceño. Esta frase no era la que tenía previsto decir, y tampoco explicaba la tristeza y la angustia que sentía en ese momento. Sin embargo, era lo primero que le había venido a la cabeza ante el cariñoso escrutinio de su hermana, y Zina pensó que la reciente separación de su novio debía de tener un significado más profundo del que le había atribuido en un principio.

—¿Es que se ha vuelto loco? —exclamó Tala, y Zina sonrió al verla tan sinceramente indignada a pesar de que no conocía personalmente a David—. ¡¡¿Por qué?!!

—Porque él es judío y yo, palestina.

Zina la miró un momento con el ceño fruncido, aunque le asomó a las comisuras de los labios un gesto sospechosamente parecido a una sonrisa.

—¿Judío?

—Sí. ¿Qué te hace tanta gracia?

—Me estaba imaginando la cara que habrían puesto mamá y *babba* de haberlo sabido.

Zina suspiró y volvió a echarse a llorar.

—Dice que no se puede imaginar casado con una mujer que no sea judía —explicó entre sollozos.

—¡Querrá decir que no quiere imaginárselo! —protestó Tala, pero Zina movió enérgicamente la cabeza.

—El judaísmo es un elemento muy importante de su identidad. Me dijo claramente que no pensaba renunciar a su cultura.

—¿Le habías pedido tú que lo hiciera?

Zina hizo un gesto de negación.

—Pero quiere que sus hijos sean judíos, celebrar el Hanukah y la Pascua... Sería imposible.

—Entonces, ¿por qué demonios empezó a salir contigo? ¿Qué clase de persona se involucra en una relación sentimental, y lo que es peor, deja que la otra persona se enamore de él, sabiendo que no es posible un futuro en común?

—¿Tú nunca te equivocas? —preguntó desesperadamente Zina—. No todo se puede racionalizar. ¿Nunca has hecho nada sabiendo que iba a causar problemas?

Zina se sintió muy culpable después de hacer este comentario, porque notó un cambio en su hermana, una brusca rigidez que emanaba del lado que ocupaba Tala en el sofá, y todo por ese momento de exasperación al pensar en los errores que ella misma había cometido con David. No tenía ni idea de qué era lo que había molestado tanto a su hermana, y aunque se lo preguntó varias veces, solo obtuvo una sonrisa cansada y la insistencia de Tala en que no le pasaba nada. En el momento en que alzó la cara y vio a Kareem entrando en el salón, Zina ya había decidido esperar a más tarde para volver a hablar del tema. La llegada de su cuñado, impecable con su inmaculada camisa blanca y su traje, solo sirvió para acrecentar su malhumor.

—Tendría que estar prohibido que dos mujeres estén tan guapas a las siete de la mañana —las saludó Kareem con una gran sonrisa.

El cumplido no pareció ejercer el más mínimo efecto en ninguna de las dos.

—Qué pronto te levantas, Kareem —dijo Tala.

—Quería saludar a vuestro padre antes de ir al aeropuerto. —Kareem calló un momento para acrecentar la intriga y luego añadió—: Hoy llega Sami de Nueva York, para la boda.

—Hace años que no veo a tu hermano —dijo Zina, solo por conversar—. ¿Sigue siendo tan aficionado a los musicales?

Zina notó una patada de Tala en la espinilla, pero cuando miró a su hermana, que parecía enfrascada en el periódico, le vio otra vez aquella sonrisa divertida en los labios.

—No lo sé —contestó lacónicamente Kareem, mirando el reloj—. Pero estoy seguro de que le hará mucha ilusión verte, Zina.

—¿Por qué?

Qué pesada era esa mujer, pensó Kareem. Por suerte, parecía que ya se marchaba.

—¿Me perdonáis? Tengo que vestirme —se excusó Zina, casi sin mirarlo.

Kareem asintió cortésmente y esperó a que Zina hubiera salido para sentarse, alisándose las perneras del pantalón. Sonrió a Tala, que le pareció nerviosa y cansada.

—¿Cómo está Lamia? —preguntó Tala.

—Acostada. Le gusta tomarse su tiempo para levantarse. —Con un gesto discreto, Kareem indicó a Abu Ali que tomaría café.

Había más líneas de conversación posibles con su cuñado (el trabajo de él, su familia, sus opiniones sobre casi cualquier asunto...), pero todas le inspiraban un tedio que esa mañana no se sentía capaz de soportar, de modo que Tala sonrió y clavó la mirada en el otro extremo del espacioso salón, donde unos ventanales de dos pisos de alto dejaban ver el jardín, el campo y las montañas del fondo. El sol acariciaba las copas de los árboles y les llegaban los trinos de los pájaros, alterando el tranquilo silencio de la mañana.

—Hace un día muy bonito, ¿verdad? —preguntó Kareem.

Había seguido la mirada de su cuñada y estaba tratando de encontrar un punto de interés común, una conexión entre los dos que, tal como ahora se daba cuenta, normalmente no existía. Tuvo la impresión de que nunca le había caído bien a Tala, aunque era difícil asegurarlo con certeza. Después de todo, coincidían en las mismas reuniones familiares, reían y bromeaban juntos, aunque, más que relacionarse, se limitaban a compartir un mismo espacio. Hasta ese momento nunca le había preocupado esta situación, pero acababa de darse cuenta de que, si quería convertirse en el confidente de Tala, tendría que conseguir que ella lo sintiera próximo. Era una de esas complicaciones que tenían las mujeres.

—Precioso —reconoció Tala, sin apartar la vista del ventanal. Contuvo un bostezo—. Últimamente no duermo —explicó.

—¿Ah, sí? —preguntó Kareem, pensando que esta inesperada confesión era un buen augurio. Se hundió en el mullido sofá de cuero y su apuesto rostro adoptó una expresión preocupada—. ¿Por qué?

En ese momento apareció el criado con el desayuno, lo que le dio tiempo a meditar su siguiente pregunta, en caso de que la primera solo tuviera el silencio como respuesta. Tala echó una cucharadita de azúcar en su vaso y lo removió. El aroma dulce y vegetal del té con menta le resultó reconfortante. Miró a Kareem.

—Supongo que son los nervios de la boda.

—No pasa nada grave, espero.

Para aparentar que el comentario había sido casual, Kareem fingió no estar pendiente de la respuesta y se llevó delicadamente a los labios su tacita de café, procurando que no se le manchara el fino bigotillo.

—No —contestó Tala, sonriendo sin convicción.

Kareem, satisfecho, dejó la taza de café sobre la mesa.

—Me alegro, porque es un paso que no se puede dar a la ligera —opinó—. Afecta al resto de tu vida, y tienes que estar convencida.

Tala lo miró sorprendida. No era propio de Kareem remarcar la importancia de los sentimientos sobre las formas. En un impulso, se volvió hacia él.

—Dime una cosa —preguntó—. ¿Tú estabas totalmente convencido, cuando te casaste con mi hermana?

Kareem sonrió con malicia.

—Tenía que estarlo, si no quería que me matase.

Una vez más, la broma de Kareem no tuvo efecto en su cuñada. Había sido una falta de tacto recurrir al humor. Tala esbozó una media sonrisa, pero le dirigió una mirada oscura y misteriosa que lo turbó.

—Claro que estaba convencido —insistió, adaptándose a la seriedad de Tala—. No me cabía duda de que era la mujer con la que quería vivir.

—¿Por qué?

Kareem alzó las cejas.

—Porque la quería mucho. Porque nuestras personalidades y nuestros valores encajaban. Todo lo importante. —Se inclinó hacia su cuñada y añadió en voz más baja—: Si hubiera tenido la más mínima duda, no habría seguido adelante.

Durante un momento se miraron a los ojos. En la expresión de Kareem, Tala solo pudo ver amabilidad y preocupación sincera; una bondad que hasta entonces no había considerado propia de él.

—¿Y si la duda es engañosa? —añadió rápidamente, pestañeando—. ¿Y si no puedes encontrar ningún motivo racional que la apoye? —Le resultaba extraño confesarse de ese modo con Kareem, pero estaba al borde de la crisis de nervios, necesitaba desesperadamente un consejo, y Zina estaba demasiado sumida en su propia miseria para importunarla.

—¿Es que las dudas deben ser racionales? ¿Lo es el amor? —contestó Kareem, con una sonrisa sabia—. Deberías confiar más en tu instinto, Tala. Soy un ferviente partidario de la racionalidad, pero hay momentos en que uno, en el fondo de su corazón, por no decir en las tripas, sabe lo que debe hacer. Aunque su cabeza no pueda justificarlo.

Tala, asombrada, lo miró con suspicacia.

—¿Me estás diciendo que rompa el compromiso?

—¡No! —contestó Kareem, asustado de haber dejado tan claro su objetivo.

—Sí, me estás diciendo eso.

—Me has dicho que tenías dudas... —Kareem se interrumpió, reprimió su malhumor y entrelazó las manos como si estuviera sumido en sus pensamientos—. No es malo cambiar de idea, Tala. Si te casas con Hani, seré el primero en bailar en tu boda. Pero si no te casas, te apoyaré en lo que haga falta. —Se puso bruscamente de pie y añadió—: En fin, tengo que irme. No quiero hacer esperar a mi hermano. —Calló un momento y miró a Tala con complicidad—. Si alguna vez necesitas hablar, aquí me tienes, ¿vale?

Tala asintió con vacilación e intentó mostrar una expresión agradecida, aunque estaba demasiado concentrada en sus pensamientos para prestar atención a las formas. Oyó cómo los rítmicos pasos de Kareem se alejaban y atravesaban el vestíbulo, en dirección a la puerta de la calle.

Dirigió la mirada al jardín, al otro lado del ventanal. Era obvio que sus familiares, excepto quizá Zina, se habían dado cuenta de sus dudas (a Lamia se las había confesado bastante abiertamente), pero el único que había dado el paso de hablar seriamente con ella, de ofrecerle consejo y apoyo, había sido su cuñado, y esta preocupación era tan poco habitual en él, que Tala estaba segura de que debía de tener algún motivo oculto. Se sintió sola, perdida en medio de la vorágine de fiestas y banquetes. La rodeaban diferentes personas, a algunas de las cuales las conocía de toda la vida y aparentemente la querían, y todas reían, charlaban, discutían de política, comían, iban de compras y la felicitaban, pero ninguna se había parado a mirarla a los ojos. Necesitaba algo a lo que aferrarse, el consuelo de alguien que la comprendiera, pero no tenía a quien recurrir. Volvió a pensar en Leyla, y el recuerdo, pese a su fugacidad, le despertó una antigua ansiedad. Leyla la entendería, por supuesto, pero ya casi no recordaba los rasgos de su cara;

era como si perteneciera a una vida pasada. De hecho, su relación podría haber sido solo un sueño, un sueño agradable y placentero que había terminado demasiado deprisa y había dejado a Tala suspirando anhelante en la fría realidad de la vigilia.

Capítulo 10

Era la tercera vez que Maya se asomaba al hueco de las escaleras para anunciar que el desayuno estaba a punto, y aún no había reaccionado nadie. Dejando los huevos chisporroteando en la sartén, subió hasta el quinto peldaño y se paró a escuchar. Su marido estaba en la ducha, evidentemente, pues había esperado al primer anuncio para dejar de ver las noticias de economía e ir a arreglarse. Yasmin se había duchado media hora antes, pero lo único que salía de su habitación era música fuerte; y Leyla... ¿quién sabía qué le pasaba a Leyla últimamente? Algo había cambiado en ella desde que había dejado de trabajar en la empresa familiar para dedicarse a revisar su novela. Aunque estaba contenta de que su hija hubiera encontrado editor, Maya había confiado en que esto supondría el fin de la escritura durante una temporada. Tanto sentarse frente al ordenador y pensar en palabras no podía ser bueno para nadie, Maya ya lo sabía, y aunque comprobar que tenía razón era siempre un alivio, su orgullo se veía mitigado por la aprensión, porque su hija estaba bastante rara últimamente, siempre triste y de malhumor, y, francamente, ella ya no tenía ni edad ni ánimos para enfrentarse a una adolescencia tardía.

Cuando bajó a la cocina para atender otra vez la sartén, los huevos estaban demasiado hechos. Contempló desalentada los bordes marrones y quemados y la gomosa solidez de la yema. No obstante, no pensaba tirarlos. Durante su niñez en la India, Maya había crecido hambrienta de huevos fritos, cuando desayunaba en una mesa renqueante, rodeada de demasiados hermanos y de un padre que controlaba estrictamente la escasa media docena que les correspondía por semana y que se guardaba en un estante bien alto. Incluso ahora, ver una yema blanda y jugosa rompiéndose sobre el plato le despertaba aquel deseo antiguo, junto con una especie de pánico: que el líquido dorado desapareciera antes de que pudiera alcanzarlo con un pedazo de pan para llevárselo a la boca.

Sam, el rey de las duchas de dos minutos, ya estaba entrando en la cocina, y, para satisfacción de Maya, iba seguido de Leyla. Parecía cansada, aunque se había acostado temprano y se pasaba durmiendo la mitad del día. Iba envuelta en un fino albornoz y pisaba las baldosas de la cocina con los pies descalzos.

—Te vas a resfriar. ¿Dónde tienes las pantuflas? —preguntó Maya.

—¿Queda zumo? —dijo Leyla.

—Sí —contestó Yasmin, entrando en ese momento—. Si te gusta lo rancio.

Leyla sonrió a su hermana, que aún tenía el pelo mojado de la ducha. La fresca fragancia del gel atravesó la atmósfera especiada de la cocina.

—Salgo a por más zumo —dijo Yasmin—. De todos modos necesito un café de verdad.

—No salgas con el pelo mojado o pillarás una neumonía —la advirtió Maya.

—La neumonía la produce un microbio, no el pelo mojado, mamá.

—¡Habló la médica! Pues nada, sal, pero si mañana tienes que ir al hospital, yo no pienso ir a verte.

Maya soltó un bufido y se volvió hacia los fogones, donde sacó los huevos fritos de la sartén como si temiera que se le escaparan al tocarlos.

—Ya te iré a ver yo —dijo Leyla con voz apagada, mientras Yasmin salía disparada hacia el supermercado.

Leyla encendió el hervidor y echó una ojeada a la tetera, en la que cabía líquido suficiente para cinco tazas pero había una sola bolsita de té. Pensó con rabia que, aunque vivían en una casa de dos millones de libras y desayunaban en una cocina que había costado cuatro mil, su madre, como de costumbre, las obligaba a tomar un brebaje flojo y casi transparente para ahorrarse el precio de las bolsitas. Se levantó y metió un par de bolsas más en la tetera, antes de verter el agua hirviente. Por el rabillo del ojo notó que su madre se ponía tensa ante tanto derroche, y Leyla se volvió a mirarla, dispuesta a discutir por unas cuantas bolsitas de té del barato.

Pero nadie dijo nada, y Leyla dejó la tetera en la mesa sin encontrar objeciones. Se sentó y contempló el huevo frito, demasiado hecho y ya frío. Parecía un huevo de juguete, uno de esos de plástico flexible, y por curiosidad se inclinó a olerlo, aunque solo le llegó el aroma de su padre, sentado al otro lado de la mesa. Era una mezcla entre la fragancia fresca del gel, el olor marino del tónico de afeitado y el toque dulzón de la gomina, que se te pegaba a la garganta como un veneno antes de dejarte escapar. Era el aroma de todas las mañanas, el aroma con el que había crecido, que la había acompañado durante miles de días en el desayuno, y Leyla sintió una repentina gratitud que le formó un nudo en la garganta y le llenó los ojos de lágrimas. Tragó saliva e intentó disimular su emoción. Tanto descontrol sentimental era ridículo y embarazoso; era como si se pasara el día al borde de las lágrimas, como si el roce de una pluma pudiera hacerla llorar.

Sam alzó la cara sin dejar de masticar y vio los ojos empañados de su hija. La imagen lo puso tan nervioso, que se sintió obligado a terminarse el desayuno en dos bocados. Esto tuvo el efecto de tranquilizarlo y a la vez le dio tiempo a serenarse, tras lo cual se atrevió a preguntar a Leyla qué le pasaba.

—Nada —contestó su hija. Se quedó un momento callada, intentando recobrar el sosiego—. Ha sido al ver el huevo frito. No me gusta ver nada que haya sufrido tanto.

Maya soltó un suspiro y Leyla sintió una momentánea vergüenza por su hiriente e inútil sarcasmo. Pero era tarde, el comentario ya estaba hecho, y por lo menos le había servido para contener las lágrimas.

—No te lo comas si no quieres —protestó Maya—. Se lo daré a los pájaros.

—¿Cómo puedes darles huevos fritos a los pájaros? —preguntó Leyla. Le parecía una perversidad, una especie de precanibalismo—. Los pájaros incuban huevos, no deberían comérselos.

—Habló la especialista en aves —dijo Maya.

—La ornitóloga —murmuró Leyla con silenciosa agresividad.

Sam se había levantado de la mesa y estaba ajustándose la corbata (solía bajar con ella a la cocina pero solo se la ponía cuando el peligro de mancharla había pasado), y lanzó a su hija una mirada severa. Como resultado, Leyla se sintió pequeñita y culpable al mismo tiempo, y sin poder evitarlo se echó a llorar.

Maya estaba concentrada en hundir la punta de la tostada en la yema reseca del huevo frito como si lo estuviera apuñalando, pero alzó la vista al oír llorar a Leyla. Sam corrió tras la silla de su hija y apoyó sus manos grandes y firmes en sus hombros. Leyla se dio cuenta de que Sam volvía la cara e intercambiaba una mirada de preocupación con su madre.

—¿Qué te pasa? —le preguntó Sam en voz baja.

Leyla respiró hondo, de una forma que sonó entre hipido y sollozo, y dejó de llorar. Bajó la vista hacia el regazo, a la fina servilleta que cubría sus delgados muslos. Comía pero cada vez pesaba menos. Tenía un editor para la novela, pero no estaba contenta. Lloraba, pero sabía que tendría que estar feliz.

—No lo sé —susurró.

Era cierto, porque aún no había admitido ante sí misma que lo que la turbaba, aquel anhelo absurdo por una mujer con la que había estado solamente unos días, mereciera tanto sufrimiento.

—¿Quieres que te llevemos a un médico? —preguntó Sam.

Era un intento torpe, pero al menos era un intento, y Leyla lo agradeció. Se volvió hacia su padre y sonrió fugazmente para tranquilizarlo, y Sam se sintió mejor y se marchó, de camino hacia la calle, el coche, el mundo pequeño y seguro de la oficina.

Después de ver durante dos día más cómo su hija pululaba por la casa como un fantasma tembloroso y febril, Sam aprovechó la cena para explicar que quería contratar nuevos empleados en la empresa. La conversación se dirigía aparentemente a su mujer, pero Leyla se dio cuenta enseguida de que era ella el objetivo. Su padre hablaba en un tono cantarín y mesurado, como si quisiera transmitir claramente los matices de la tentación que agitaba ante sus ojos, y Maya asentía y decía «ah» y «oh» cuando era necesario. A Leyla, la mera idea de pasarse otra vez nueve horas al día encerrada entre las paredes de una oficina con vistas al solar del aparcamiento le revolvía el estómago. Si ahora estaba deprimida, le entrarían tendencias suicidas si tenía que sentarse cada día frente al escritorio marrón para calcular porcentajes, cotejar albaranes y revisar la redacción de los folletos.

—Sería solo provisional —estaba diciendo su padre—, hasta encontrar a la persona adecuada. —Esta vez miró directamente a los ojos de su hija.

—¿Qué pasa? —preguntó Leyla, malhumorada.

—Necesito tu ayuda —dijo su padre—. Si no estás muy ocupada, claro.

—¡¿Ocupada?! —exclamó Maya con un bufido desdeñoso en la voz, pero se contuvo cuando su marido le lanzó una mirada fulminante.

Leyla no supo cómo negarse. Su padre era muy amable y la miraba expectante. Comprendió que Sam estaba intentando ayudarla. Le estaba tendiendo una mano del único modo en que sabía hacerlo, para ayudarla a salir del pantano de la autocompasión.

—De acuerdo —dijo al final.

Sam sonrió y cogió otro pan indio.

—Muy bien. Empiezas mañana a las ocho y media. Entraremos juntos.

Los cinco días de horarios regulares no fueron el laberinto infernal que Leyla había imaginado. A primera hora de la mañana el tiempo volaba, mientras ejecutaba la serie de actividades que le permitirían estar a las ocho y media frente a su escritorio. Sentía el golpe del chorro de la ducha sobre la cabeza y los regueros de agua caliente deslizándose por su cuerpo. Al cabo de un momento mordía la tostada crujiente y sentía en la lengua el suave sabor de la mantequilla. Luego tenía que vestirse, elegir prendas adecuadas y unos zapatos de verdad en vez de las pantuflas con las que se arrastraba por la casa cuando se dedicaba a escribir. Y después venía el trayecto en coche, con las noticias de la radio describiendo un mundo muy alejado del suyo, que estaba confinado en horizontes más estrechos.

Cuando llegó a la oficina le sorprendió encontrar tantos papeles sobre la mesa. El trabajo era el mismo de siempre. Las oportunidades de inspiración eran escasas, pero la cantidad de trabajo la pilló desprevenida, y empezó a competir consigo misma cada mañana para ver hasta dónde podía llegar.

Además, estaban las compañeras de oficina, mujeres que llevaban años trabajando para su padre. Charlaban, reían, se burlaban de sí mismas e introducían un toque de sarcasmo en todo lo que decían, y Leyla tuvo que adaptar su conversación para no quedarse encerrada perpetuamente en su mundo privado. Y era difícil sonreír ante un chiste o hacer un comentario burlón y al mismo tiempo seguir alimentando la depresión que aún acechaba en ella. Era difícil recordar su angustia cuando tenía que ir de una reunión a otra, atender llamadas y mensajes de correo, y lo que quedaba al final de una jornada de trabajo poco entusiasta no era tristeza sino inspiración para seguir escribiendo. Como le había sucedido hacía tiempo, las ideas, las palabras y los sentimientos no correspondidos empezaban a filtrarse por los estratos de su cerebro que no estaban concentrados en las tareas cotidianas, como el café que destila la cafetera. Por la tarde, cuando llegaba a casa, desplegaba papeles y bolígrafos en la mesa del comedor y se ponía a escribir, y en cuanto empezaba a capturar los primeros detalles, le venían otros nuevos a la cabeza, hasta que tenía una retahíla de frases que sería el comienzo de un nuevo relato. El lento placer y los accesos de intenso entusiasmo que sentía en aquellos momentos eran muy parecidos a la felicidad. Y aunque en parte se sentía incómoda por haber alejado tan rápidamente su presunta depresión, como si fueran las migajas de un pastel reseco, la consolaba pensar que había hecho un gran esfuerzo para no mirar abajo y volver a caer en aquel pozo.

Capítulo 11

A las diez de la mañana Reema descendió la magnífica escalinata con una fuerte migraña, que atribuía con poco margen de duda a la inyección de bótox que se había empeñado en ponerse el día anterior para combatir la última arruga aparecida en su frente. Al levantarse y echar un vistazo a las profundidades del elegante espejo del dormitorio, había constatado con extrema frustración que la arruga seguía siendo visible. Se sentía nerviosa y cansada y entró arrastrando los pies en el comedor, donde vio de refilón a sus hijas Tala y Lamia desayunando, antes de que su mirada captara el milagro de un café humeante y un cigarrillo preparado en la mesa contigua a su butaca. Cuando se sentó y se dio cuenta de que en realidad ni la cafeína ni el humo estaban a punto para su inmediata inhalación, emitió un aullido de protesta dirigido a la desventurada criada que estaba de pie detrás de ella. Al cabo de un segundo apareció el café y fue colocado un cigarrillo recién encendido entre sus dedos cargados de anillos. Reema aspiró largamente, y el humo denso y cargado de alquitrán le produjo la misma satisfacción que el oxígeno al buceador. Solo entonces, cuando la nube de humo que rodeaba su cabeza empezó a disiparse y el sabor de la cafeína le llegó a los labios, Reema alzó la cara y vio que Omar y Kareem también estaban sentados a la mesa. Y lo más alarmante era que había otro hombre con ellos, y, cuando su cerebro empezó lentamente a volver a la conciencia y asimiló la novedad, Reema lamentó haber lanzado aquel grito gutural a la criada y haber accedido al comedor con aquel paso derrotado. Cuando tenían invitados procuraba hacer siempre una entrada teatral. Reema esbozó una sonrisa seductora para mitigar el impacto de su descuidada aparición, pero solo reconoció a Sami, el hermano de Kareem, cuando este se lo presentó formalmente. Hacía años que no lo veía, y así se lo dijo.

—Estoy viviendo en Nueva York, tía —le explicó Sami.

—Ah, como Zina —contestó Reema—. ¿No la ves nunca, allá?

—Es una ciudad muy grande. Toda la población de Jordania se perdería en Manhattan.

—Hace poco que mi hermano se ha instalado en Nueva York, tía —intervino rápidamente Kareem, sonriendo con cierta incomodidad.

Pero su suegra tenía razón: en los dos meses que llevaba viviendo en Nueva York, Sami debería haber hecho algún intento de ver a Zina. No le había dado importancia cuando su hermano se había trasladado allí, pero era una falta de consideración hacia su familia política que su hermano mayor no hubiera buscado a la hija menor de Omar en la ciudad en la que vivían ambos, pensó Kareem mientras alineaba los cubiertos. De hecho, si Sami y Zina llegaban a tratarse, quizá incluso...

—¿Ya conoces a Zina? —preguntó Reema—. Es muy guapa. Y cocina muy bien.

Kareem sonrió. A veces tenía la impresión de que Reema y él pensaban al unísono. Era muy práctico tener esa afinidad, esa feliz armonía, con los parientes políticos.

Sami se removió en el asiento y sonrió cortésmente.

—Es demasiado guapa para mí, tía.

Era una respuesta muy extraña, pensó Reema. ¿Cómo podía una mujer, y sobre todo Zina, ser demasiado guapa para un hombre? ¿Qué había querido decir ese chico? ¿Era una forma de mostrase sofisticado? Quizá era una réplica que en Estados Unidos se consideraba irónica. Observó a Sami, que estaba tomando un sorbo del té con menta. Era apuesto, aunque quizá menos acicalado que Kareem; llevaba el pelo algo más largo y su ropa era menos vistosa, más oscura, más neoyorquina. Lo cual no era necesariamente malo, ya que Zina siempre se vestía como para ir a un funeral. Dos de sus hijas, casadas con dos hermanos... En los últimos años, Reema había estado tan preocupada por casar a Tala, que se había olvidado de actuar en pro de su hija menor. Sami era un buen partido, aunque, según recordó rápidamente Reema, más aún lo era Zina para la familia de él, que no estaba en el mismo nivel económico y social que Omar y ella. Pero claro, había pocas personas que estuvieran a su altura. Además, ya no tendría que preocuparse por su hija menor, tan sensible y nerviosa. Un pequeño chasquido dentro de su cabeza le presentó la imagen mental de Lamia con Kareem, Tala con Hani, Zina con Sami. La visualización de una escena tan satisfactoria coincidió con la gratificante pulsación de la nicotina que por fin corría por sus venas, ya que estaba encendiendo el segundo cigarrillo. Fue un momento de especial plenitud, pero Reema no podía perder tiempo disfrutándolo. Tenía que arreglar muchas cosas.

Con una voz profunda y preocupada, Kareem estaba exponiendo una vez más su propuesta para solucionar la crisis entre Palestina e Israel. Tala se había dado cuenta de que Kareem se había sentido impelido a hablar de política desde el momento en que Hani se había presentado a desayunar con ellos.

Tala se recostó contra el respaldo de terciopelo rojo de la silla y jugueteó con la comida del plato, un blanco montoncito de yogur libanés, rodajas de pepino, aceitunas verdes y tomillo. Era su desayuno favorito, pero aquella mañana apenas tenía ánimos para probarlo.

Mientras continuaba la conversación, Tala cerró los ojos un momento y sintió la suavidad de la penumbra. La dulzura de la sensación le resultó casi embriagadora. De repente habían desaparecido la habitación abarrotada de muebles, el rostro cortés y displicente de Lamia, la mirada insistente de Kareem y los dedos de su padre martilleando sobre el mantel. Tala se sintió en paz por el mero hecho de estar allí sentada, con los ojos cerrados. Sintió que el sueño la invadía, la acariciaba con su promesa de descanso y renovación. Estaba agotada; se sentía exhausta desde que el repentino viaje de su madre a Londres había desembocado en un interminable recorrido por tiendas de ropa, restaurantes y comercios de muebles, dentro de los preparativos para la boda. El hecho de verse obligada a pensar en todos los nimios y absurdos detalles de la ceremonia nupcial había actuado como un sedante que nublaba sus verdaderos sentimientos, y en ese momento Tala lo había agradecido, porque le permitía escapar de la obsesión que le inspiraba la separación de Leyla.

—¿Te encuentras mal?

La voz dulce y amable de Hani sonó agradablemente junto a sus oídos, y Tala abrió los ojos y sonrió a su novio. Negó con la cabeza y le oprimió un momento la mano. El roce le resultó reconfortante, le aportó seguridad y confirmó el cariño que sentía por él. Era Hani, su futuro en común, el motivo de que Tala no hubiera intentado perseguir a Leyla por teléfono o por carta, y en los momentos en que había sentido flaquear su resolución, la vorágine de los preparativos de boda había bastado para garantizar que la comunicación entre las dos quedara clausurada para siempre. Ahogó un suspiro y miró a Hani, que volvía a estar atento a la conversación.

—Los palestinos no tienen otras armas —estaba diciendo Kareem—. Si solo podemos contar con nosotros mismos, con los comandos suicidas, entonces es parte de nuestro armamento de guerra.

A Tala, tener que abrir los ojos y los oídos para escuchar la vieja cantinela de las opiniones de Kareem, que siempre reflejaban las de la mayoría (él nunca se habría atrevido a pensar por su cuenta, y menos aún a defender un pensamiento original, aunque por puro milagro se le hubiera ocurrido) le pareció demasiado duro en ese momento. Tenía la sensibilidad a flor de piel, como si su cabeza fuera un espacio lleno de heridas abiertas; sus sentidos se ofendían con la fealdad que había a su alrededor, y en ese momento le parecía que todo lo que llegaba a su vista y sus oídos era antiestético.

—Es una barbaridad —dijo, mirando con enojo a su cuñado—. Esta idea del martirio, de que el paraíso te espera si te llevas por delante a personas inocentes, es obscena. Es todo un lavado de cerebro, aunque nadie se atreve a reconocerlo. —Estaba alzando la voz, pero era incapaz de controlarse.

—No matan a inocentes, mamá —intervino Reema, eligiendo entre la confusa maraña de los supuestos argumentos de su hija el único aspecto que podía comentar—. Matan a israelíes.

—Matan niños —declaró rotundamente Hani.

El lado de la boca de Reema en el que no asomaba un cigarrillo se torció al escuchar esta insolencia, pero antes de que pudiera responder, Kareem intervino en su defensa.

—A niños que de mayores serán soldados israelíes —contestó Kareem, mientras limpiaba con el dorso de la mano una pequeña gota de agua que el vaso de su mujer había dejado en el tablero de cristal de la mesa—. Con todos los respetos —continuó, alienando todos los cubiertos que tenía a su alcance—: ni tú ni yo hemos padecido lo que nuestros compatriotas palestinos. Ni tú ni yo hemos visto cómo la casucha donde tuvimos que refugiarnos cuando las armas israelíes nos expulsaron de nuestra tierra era demolida porque querían darle un escarmiento a otra persona del pueblo. Ni tú ni yo hemos tenido a un niño agonizando en nuestros brazos porque los israelíes habían respondido a las piedras con las balas. Ni tú ni yo hemos visto cómo nuestros hijos lloraban de hambre porque se había agotado la leche durante el bloqueo.

Era un discurso de retórica impactante, pero Tala apostaría a que Kareem jamás había pisado las inmediaciones de ningún campamento de refugiados con sus elegantes zapatos.

—Si no recuerdo mal, estabas ocupado la última vez que fuimos a un campamento para entrevistar a posibles proveedores —le recordó.

—Ese día estaba manteniendo en funcionamiento la oficina de tu padre —explicó pacientemente Kareem—, y Lamia y yo fuimos el mes pasado a la cena de beneficencia en favor de los refugiados.

—Donde los refugiados lavaban los platos —murmuró entre dientes Sami, pero con suficiente proyección como para que Tala lo oyera. Tala captó su mirada y le dedicó una sonrisa fugaz.

—Nadie está justificando las acciones de Israel —intervino con calma Hani.

Kareem recostó su corpulenta espalda en el respaldo de la silla y lanzó una sonrisa a Omar; Tala observó con irritación que era una sonrisa de camaradería, una sonrisa de condescendencia hacia la opinión que Hani acababa de plantear con sinceridad y que ellos se disponían a escuchar con paternalista paciencia, mientras esperaban al día en que Hani madurase y alcanzara su nivel de comprensión.

—Sin embargo, si justificamos ciegamente todo lo que hacemos nosotros —siguió Hani—, si no nos aplicamos la crítica a nosotros mismos, nunca avanzaremos. Tenemos que ver la cuestión de Israel con pragmatismo.

—Lo que tú llamas pragmatismo, para mí es derrotismo —lo interrumpió Kareem, e hizo un gesto serio a Reema.

—Entonces es que no me estás escuchando bien —repuso Hani—. ¿Sabes que de pequeño quería ser violinista?

—¿Ah, sí? —preguntó Tala. Le vino a la cabeza la imagen de un niño pequeño y serio, vestido con esmoquin y sosteniendo en las manos un instrumento de madera; una imagen de esperanza.

Hani asintió.

—Pero aquí, y especialmente entonces, era impensable algo tan artístico, tan poco práctico, sobre todo en un niño. Si tu padre tenía un negocio y tú querías ser artista, o escritor, o cantante, tenías que aguantarte y sumarte al negocio. Vivimos en un mundo donde se valora lo práctico. Y sin embargo, en política, donde los palestinos apenas tienen con qué negociar, nadie quiere ser pragmático.

—¡Porque tenemos nuestro honor! —exclamó Kareem, orgulloso—. Llevas demasiado tiempo dedicándote a la política, Hani. Respeto tu opinión, pero yo tengo que apuntar alto, porque si no, ¿cómo se harán realidad nuestros sueños?

Terminó su ampulosa declaración con un gesto dedicado a sus suegros. Omar carraspeó y se preparó para intervenir por primera vez durante esa mañana.

—Hani tiene parte de razón —declaró—. Tenemos que dejar la emoción de lado y ver el asunto como una cuestión de negocios.

Kareem asintió respetuosamente a su suegro, cambiando de chaqueta con tal naturalidad que nadie notó que lo hacía.

—Planteado así, *ammo*, empieza a estar más claro.

Omar apartó la vista, complacido pero a la vez un poco incómodo ante la mirada de admiración de su yerno. Cuando alzó otra vez los ojos, Kareem le estaba tendiendo la mano a Hani. Pensó que eran dos buenos chicos, y que sus hijas tenían suerte de estar con ellos.

Mientras encendía las luces porque la penumbra del atardecer empezaba a apoderarse de la habitación, Zina pensó que no había oído bien.

—¿Qué? —preguntó, mirando consternada a Lamia—. ¿Has dicho Sami?

A pesar de que llevaba el vestido de seda recién planchado, Tala se tumbó sobre la cama de Zina y sonrió con sorna. Zina la miró exasperada. Estaba bien que Tala se relajara y disfrutara de la frivolidad del momento, pero iban a servir la cena dentro de diez minutos, debía de haber por lo menos treinta personas tomando cócteles en el salón, y ella no encontraba nada qué ponerse mientras Lamia no paraba de hacer sugerencias absurdas.

—Le caes muy bien, ¿sabes?

—Sí, bueno, parece simpático —contestó Zina.

Se quitó el vestido que acababa de probarse y rebuscó entre las demás prendas del vestidor. Lamia la miró, intentando controlar la crispación de sus manos.

—Entonces, ¿por qué te parece tan extraño? Es simpático, guapo, bien educado... —Calló un momento, escuchando el molesto entrechocar de las perchas de madera—. Y viste de negro: haríais juego —añadió, contemplando con disgusto el guardarropa de Zina.

Su hermana giró en redondo y le lanzó una mirada irónica.

—Es gay.

Lamia se sentó. El contenido del anuncio no era exactamente una sorpresa, pero sí el hecho de expresarlo en voz alta. Tala se incorporó con desgana, porque la dulce suavidad de la almohada le aliviaba infinitamente la presión que notaba en las sienes. A su lado, Zina miró risueña a Lamia.

—No lo es —fue la desesperada contestación de Lamia.

—¡Y el Papa no es católico! —se burló Zina.

Tala no pudo evitar reír.

—Ser gay no es un crimen, Lamia —dijo—. Lo único que ha hecho Zina es constatar un hecho.

—No es un hecho. —Lamia estaba empezando a elevar la voz, convencida de que sus hermanas querían atraer la ira de Kareem sobre ella.

—¡Por favor! —exclamó Tala, aún riendo—. Todo el mundo sabe que es gay, aunque no se atrevan a reconocerlo delante de ti —añadió con retintín.

Desde el vestidor, donde estaba desenredando un vestido negro de la percha, les llegó la voz apagada de Zina.

—Una vez me lo encontré con su novio en el Village.

Lamia puso unos ojos como platos.

—¿Te lo presentó así?

—Claro que no, pero era más que obvio.

—No es obvio. —Lamia había empezado a andar arriba y abajo de la moqueta, como si su desesperado taconeo pudiera borrar la realidad de la sexualidad de su cuñado—. Y si lo es, será una fase. No se lo contéis a nadie. Comprometeríais sus posibilidades de casarse. Kareem está intentando convencer a Sami de que vuelva a instalarse en Amán. Podría tener un buen efecto sobre él.

—Perfecto —intervino Zina—. Y entonces, claro, podré casarme con él. Aún no he trabajado para suficientes causas. Quizá ahora debería dedicarme a rehabilitar gays.

—¡Por Dios, Lamia! —intervino Tala, con calma—. ¿Tanto miedo te da tu marido, que estás dispuesta a sacrificar la felicidad de tu hermana para unirla a tu cuñado gay?

Zina se volvió y vio que Lamia se había sonrojado.

—Es una fase —balbuceó Lamia.

—La homosexualidad no es una fase —dijo Tala—. ¿De verdad piensas que Sami puede cambiar de un día para otro?

Lamia parpadeó y bajó los ojos a la moqueta, pero cuando volvió a alzar la cara lanzó una mirada de rabia y recelo que a Tala le afectó como un puñetazo en el estómago.

—Supongo que tú sabrás más que nadie de eso... —masculló Lamia, antes de dar media vuelta y salir dando un portazo.

Zina se volvió hacia su hermana con el ceño fruncido, disgustada con el comportamiento de Lamia, y luego irguió la espalda y extendió los brazos, preguntando sin palabras si el vestido que llevaba puesto era el adecuado. Tala expresó su conformidad con un gesto de la cabeza, aunque apenas se había fijado en la prenda.

—Anda, bajemos —propuso.

Tenía una urgente necesidad de moverse; notaba los nervios a flor de piel y necesitaba actividad. El disgusto y la decepción que le había causado el comportamiento de Lamia también podrían dirigirse contra sí misma, por engañar a Hani cuando había sentido aquella pasión por Leyla. Tragó saliva, en un vano intento de aliviar la sequedad de su garganta, y aunque la cabeza le daba vueltas intentó concentrase en Zina, que había empezado a maquillarse. Vio cómo su hermana escogía un pintalabios, y a continuación la habitación empezó a girar a su alrededor y el mundo desapareció de su vista.

Capítulo 12

Con su recién adquirida confianza, Leyla se había convertido en el objeto de atenciones inesperadas. Después de haber estado años sin detectar a ninguna lesbiana a su alrededor, ahora le parecía verlas por todas partes. La semana anterior, en la cafetería de delante del trabajo, donde había entrado a comprar un café para llevárselo a la oficina, la camarera le había tirado los tejos. Y unos días después, al salir de una fiesta en casa de unas amigas, había tenido la increíble sorpresa de que una chica con la que había estado más de una hora hablando de música le preguntara en tono casual si quería quedar con ella a la semana siguiente.

—¿Quedar? —había preguntado Leyla, transmitiendo menos convicción de la que le hubiera gustado.

La chica asintió y la miró con sus risueños ojos azules.

—Tener una cita —aclaró.

Leyla supo que no había disimulado suficientemente su asombro, porque la chica la miró alarmada.

—Lo siento, pensaba... Es decir, como yo soy lesbiana, he dado por supuesto que...

Leyla se apartó el pelo de la cara para demostrar su tranquilidad, pero lo único que consiguió fue volcar la vela de la mesita contigua. Cuando las dos terminaron de apagar las llamas que habían empezado a consumir un mantelito de papel y de rascar los regueros de cera caliente, se sintió con ánimos de responder.

—Tranquila, no pasa nada —murmuró. Y a continuación, antes de que le faltara valor, añadió—: Me encantará quedar contigo.

Y por fin había llegado el día de la cita, y Leyla ya no recordaba qué era exactamente lo que había estado hablando con aquella chica de ojos azules y la había animado a aceptar su propuesta. Sin embargo, algo relacionado con la certeza de la momentánea atracción, la concreción de la cita, tanto si llevaba a algo como si no, la habían impulsado a tener una charla con sus padres. Una charla seria. El tipo de charla con la que nunca había tenido ocasión de importunarlos hasta entonces.

Después de aparcar en el jardín y bajar del coche, Leyla sintió náuseas. Faltaba poco para las ocho de la tarde, y entre el momento en que había salido de la oficina, diez minutos antes, y el momento de llegar a su casa, el mundo se había oscurecido. Los bonitos colores del crepúsculo estival habían desaparecido, sustituidos por un resplandor gris mucho más amenazador. Leyla admiró la casa. Estaba oscura y desierta, como una casa encantada entre cuyas paredes solo pululaba el ahorrador espíritu de su madre, que iba y venía del dormitorio al comedor, apagando bombillas. Su padre estaba en Londres con un cliente. Yasmin estaba pasando tres días fuera, por un encargo de la empresa de comidas. Aunque Leyla hubiera preferido hablar primero con su hermana, ya no podía contener la arrolladora necesidad que se había apoderado de ella.

Abrió la puerta y estuvo unos minutos desprendiéndose del abrigo, el maletín y el paraguas. En el momento en que entró en el amplio pasillo, había repasado mentalmente tres formas distintas de plantear el tema, y todos los músculos de su delgado cuerpo estaban en tensión. Por eso, cuando Maya le saltó al paso al pie de la escalera sin iluminar, lanzando un grito gutural y blandiendo un atizador, Leyla pensó que iba a sufrir un ataque al corazón. Se apoyó tambaleante en la pared de madera, con el aliento entrecortado.

—¡Ah, eres tú! —dijo Maya.

—¿Quién coño esperabas que fuese? ¿Jack el Destripador? —preguntó Leyla, incapaz de hablar más que en un susurro ahogado.

—No digas palabrotas —la reprendió Maya—. Me ha parecido oír a alguien merodeando, y estoy sola en casa, ¿sabes? No había nadie protegiéndome.

Sin más explicaciones, dio media vuelta y regresó al salón, donde dejó el atizador entre la inútil parafernalia que descansaba junto a la chimenea de gas, y se sentó delante del televisor.

—Necesito hablar contigo, mamá —empezó Leyla, pero estaba en desventaja porque ahora tenía que competir con la telenovela.

La mirada de Maya estaba obstinadamente clavada en la pantalla, donde una señora de ojos cansados acababa de enterarse de que su hija toxicómana se había quedado embarazada. Maya se puso muy contenta. La animaba indeciblemente contemplar el sufrimiento de otras personas, aunque fueran personajes de la pantalla (al fin y al cabo, estaban basados en la vida real), y que su propia familia saliera bien parada en la comparación.

—¡Mamá!

Maya oyó la insistente voz de Leyla en el trasfondo y suspiró. Al menos sus hijas vivían con ella y no andaban por ahí, fornicando con desconocidos. Tendría que sentirse agradecida, y para expresar su gratitud, hizo el gesto heroico de apagar la tele y escuchar a Leyla.

El repentino silencio, combinado con la expectante mirada de su madre, desconcertaron a Leyla, que de repente no supo qué decir.

—Estoy haciendo espaguetis —dijo Maya, dirigiéndose resueltamente a la cocina, porque en la actitud silenciosa e implorante de su hija había algo que la ponía nerviosa—. No estás enferma, ¿verdad? —preguntó.

—Estoy bien —contestó Leyla—. De hecho, muy bien. —Carraspeó y continuó—: Muy feliz, mejor dicho. —Tosió, porque se estaba quedando sin voz de nuevo.

Maya notó que su detector de problemas interno saltaba ante una frase tan poco habitual y empezó a temblar, abanicándose con la mano. El hecho de que Leyla hubiera repetido tres veces que estaba muy bien, junto con su nerviosismo y sus carraspeos, la habían alarmado. Removió los espaguetis, deseando que se cocieran deprisa.

—Ha llamado Ali —dijo Maya, mirando a su hija por encima del hombro. La mera mención de aquel nombre la tranquilizó, y añadió sonriente—. Es un chico maravilloso.

Leyla dio un pasito hacia el centro de la cocina.

—No soy feliz con él, mamá.

—Ah, pues el hijo de la tía Gulshan está buscando novia —propuso Maya, no sin cierta desesperación—. ¡Le va muy bien en la vida!

—Es corredor de apuestas.

—Y alto y guapo —insistió Maya.

—Mide dos metros —contestó Leyla—. Le llego por el ombligo.

—¡Perfecto, así tendréis niños altos!

—¡No podría ser feliz con él, mamá! —Leyla volvió a toser—. Como tampoco lo soy con Ali. Y siempre he sabido por qué, aunque confiaba en que el motivo que intuía no fuera cierto y las cosas cambiaran, pero resulta que no cambian, y ahora ya sé que lo que he estado sintiendo en estos años está bien y no tiene nada de malo...

—¿Querrás queso? —preguntó Maya, cuya cabeza había desaparecido en una nube de vapor mientras colaba los espaguetis, demasiado duros.

Su voz había alcanzado un nivel que insinuaba un inminente ataque de histeria, porque entre la desconcertante confusión de las palabras de su hija, era más que obvio que Leyla estaba a punto de confesarle algo horrible, algo de lo que Maya no quería oír hablar jamás.

—Escúchame, mamá, por favor. Estoy intentando decirte que...

—Por ahí hay aceite de oliva, si quieres. —Maya se acercó a la mesa, pero cambió de opinión, cogió su plato y se dirigió a la relativa seguridad del salón, donde el televisor se alzaba a pocos pasos, dispuesto a ser encendido.

—Mamá —dijo Leyla caminando tras ella, confusa pero resuelta—. ¡Soy lesbiana!

Si Maya hubiera podido chillar y desmayarse sin sentir vergüenza lo habría hecho, pero lo que hizo fue quedarse plantada, con el plato de espaguetis demasiado duros (sin aceite ni queso) en una mano y el mando a distancia del televisor en la otra. Desde el pasillo les llegó el sonido amortiguado de la puerta de la calle cerrándose de golpe, seguido de la alegre voz de Sam anunciando que ya estaba en casa.

Cuando su marido entró en el comedor, Maya se dio cuenta de que estaba quieta como una estatua, con la boca temblándole de confusión, armada solo con el plato de espaguetis resecos. Observó cómo la mirada preocupada de Sam se dirigía a ella y a su hija.

—¿Qué me he perdido? —preguntó Sam.

Leyla se volvió hacia a él con lágrimas en los ojos.

—Soy lesbiana —susurró.

Sam le lanzó una mirada incrédula.

—¡Pero si solo he estado fuera dos horas!

Vio que Leyla estaba pálida y angustiada pero lo miraba con resuelta esperanza, y bajó la vista. La noticia era una sorpresa para él, sobre todo porque nunca se paraba a pensar en la vida privada de sus hijas, salvo cuando Maya cantaba las virtudes de uno u otro de sus novios, e incluso en estos casos prestaba la mínima atención, porque no le importaba demasiado con qué chicos estuvieran sus hijas, mientras fueran honrados y no tuviera que imaginárselos durmiendo con ellas.

Leyla se volvió hacia su madre.

—Siempre has dicho que lo único que querías era que fuéramos felices.

—Mentía —le aseguró Maya. Se sorbió la nariz, reprimiendo las lágrimas de rabia que le escocían en los ojos.

—No llores, mamá, por favor —le rogó Leyla.

Maya captó una brizna de remordimiento en la voz de su hija y se echó a llorar.

—¿Quién ha sido? —preguntó entre sollozos.

—No me han pegado una enfermedad, mamá. Solo soy lesbiana, igual que tengo el pelo oscuro.

¿Cuándo dejaría de pronunciar esa palabra? Maya se volvió hacia ella, airada.

—¡Primero dejas de ir a la mezquita, y ahora caes en el pecado!

—No es un pecado.

—¡Es un pecado gravísimo!

—¿Según quién? —A Leyla estaban a punto de saltársele las lágrimas.

—¡Según Dios! —chilló Maya.

—¿Y qué clase de Dios es ese? ¡Yo no lo acepto! —chilló también Leyla.

—¡Pues entonces arderás en el infierno! —anunció Maya, clavando en su hija una mirada llena de una justa indignación que le había dado valor para afrontar aquella grave desviación y llamarla por su nombre.

—¡Ya basta! —La firme voz de Sam cortó la tensión que flotaba en el ambiente e hizo callar a su mujer.

Maya le lanzó una mirada fulminante, soltó sobre la mesa el plato con los espaguetis incomibles y se marchó furiosa a su habitación.

Leyla bajó la cabeza y clavó la mirada en la alfombra. Era de dibujo en espiral, con motas en beige y rojo pero con el fondo marrón, una elección que su madre había hecho porque sería más fácil de limpiar. Leyla notó que su padre le abrazaba los hombros y le tendía su enorme pañuelo de tela, que aceptó agradecida.

—Si pudiera hacer algo, lo haría —dijo, sonándose la nariz—, pero no puedo.

—Ya lo sé —contestó su padre—. Ya lo sé.

* * *

Cuando Tala volvió temblorosamente en sí, se encontró tendida en la lujosa *chaise longue* del salón, como la protagonista de una mala novela victoriana. Sobre ella se inclinaban las caras de su madre y de Zina. El ceño preocupado de su hermana devolvió a la conciencia de Tala todo lo que la había abrumado en la habitación, y volvió a cerrar los ojos, solo para notar cómo la uña larga y pintada de granate de su madre se clavaba en su estómago..

—No te duermas, mamá —le ordenó Reema—. Es peligroso.

Tala dudaba que fuera cierto. Por el contrario, dejarse llevar otra vez por la vertiginosa inconsciencia le resultaba más que atractivo, seductor. Sería un placer sensual escapar de la uña insistente de Reema y de la inquieta mirada de Zina para sumergirse en la reconfortante penumbra del sueño, donde no tendría que pensar en cómo hablar con Hani, cómo contárselo. Abrió otra vez los ojos e intentó incorporarse, lo cual no era fácil porque dos solícitos pares de manos intentaron tumbarla otra vez en el sofá. Oyó la voz de su padre en el trasfondo, pidiendo un té con menta, y se alegró, porque a pesar de su aturdimiento le pareció una buena idea. Quizá la dulce infusión sería el alimento que ansiaba tan desesperadamente. Su madre se puso de pie, asegurando que en el cuarto de baño de su dormitorio tenía el remedio ideal para aquellos desmayos, y se marchó, dejando a Tala con Zina, que le apretaba la mano, mientras su padre daba grandes pasos al fondo del salón.

—¿Qué tienes, Tala? —susurró Zina—. ¿Qué ha pasado?

—No lo sé —mintió Tala, tragando saliva. Sus ojos se dirigieron hacia su padre, que le lanzaba miradas de preocupación—. Zina, necesito hablar a solas con *babba.*

Zina asintió, reprimió su curiosidad, su deseo de escuchar la confesión de Tala, y salió de la habitación, cerrando la pesada puerta con un discreto chasquido.

Tala bajó los pies al suelo e intentó ponerse de pie, pero Omar se acercó rápidamente al sofá y la frenó.

—Quédate un rato sentada. Has tenido una impresión fuerte.

Se sentó a su lado con vacilación y toqueteó la correa del reloj mientras esperaba a que su hija hablara, pero después de que pasaran varios momentos de silencio, cuando ya había repasado satisfactoriamente todos los eslabones de la cadena metálica, se dio cuenta de que también podía iniciar él la conversación.

—Tengo una extraña sensación de *déjà vu* —comenzó—. Como si ya hubiéramos estado aquí antes.

Tala apartó la vista, sintiéndose culpable.

—Lo siento, *babba* —dijo.

Omar asintió, se levantó y comenzó otra vez a andar a grandes pasos por el salón.

—Todo el mundo tiene nervios, Tala —dijo—. Es normal. Pero a veces tienes que pasarlos por alto y seguir adelante, hasta superarlos. Si estás enamorada, todo irá bien.

Tala clavó la mirada en el suelo, en la madera pulida y en los bordes de la alfombra persa que se extendía más allá de su línea de visión. Siguió con los ojos el dibujo, las intrincadas cenefas. Su boca se abrió con la intención de decir algo, de reconocer algo, de confesar que sabía qué era estar enamorada, pero que no era de Hani de quien lo estaba.

—No son nervios —dijo—. Mira, *babba*, es que no quiero a Hani. No como debería quererlo. No es que no esté convencida —siguió, pues ahora las palabras habían empezado a fluir—. Todas las mañanas me despierto aterrada ante la idea de vivir en Amán con él. Ahora me doy cuenta de que he estado temiendo el día de mi boda. Me da pavor.

Tala había utilizado párrafos más largos con su padre a lo largo de los años, pero nunca ninguno que transmitiera una emoción tan sincera, y durante un momento se sonrojó al pensar en cuál sería la opinión de Omar, porque no se atrevía a alzar la vista y comprobarlo por sí misma. Sus ojos continuaron clavados en el suelo mientras escuchaba los controlados pasos de su padre, hasta que vio acercarse las puntas de sus zapatos y se dio cuenta de que estaba de pie junto al sofá. Desde algún pasillo les llegó la voz de su madre, acercándose.

—Cuéntaselo a Hani —dijo Omar—. Vete a hablar con él antes de que llegue tu madre. Todo se arreglará.

—Estaba esperando que vinieras a darme una sorpresa —dijo Hani.

Le dio la mano a Tala para salir de la recepción y dirigirse a su oficina. El edificio era grande y había sido reformado recientemente, pero el cubículo en el que trabajaba Hani contenía tan solo un desvencijado escritorio, entre cuatro paredes desnudas.

—Quieren pintarlo la semana próxima —dijo Hani, siguiendo la mirada de Tala—. Tendrían que contratar a tu madre para que decorase todo el ministerio.

Le sonrió, esperando a que sonriera ella también, que añadiera un comentario gracioso sobre las butacas doradas y las mesas de cristal que pondría Reema, pero Tala no podía bromear en un momento como ese, cuando estaba a punto de echar por tierra todas las expectativas de Hani, las expectativas que ella misma había creado.

—¿Qué pasa? —preguntó Hani mientras Tala tomaba asiento. Permaneció de pie frente a ella, apoyado en el escritorio, y extendió la mano para apartarle con delicadeza un mechón de la frente—. ¿Estás muy agobiada?

—Sí.

Tala se sintió rodeada de vacío, como si estuviera en el centro de un cascarón confortable y hueco, enfrentada a la invencible, la inexorable atracción del pequeño margen de oportunidad que se había abierto ante ella. Tuvo ganas de levantarse y marcharse, pero la inevitabilidad de lo que iba a suceder la frenó, y la atracción del aire libre que entraba por aquel hueco la impulsó hacia lo que tenía que decir. Tuvo la impresión de que la frase se acercaba a su boca, y tuvo la impresión de que todos sus órganos salían de su cuerpo en el momento en que dejó a un lado los pensamientos y habló.

—No me voy a casar contigo —dijo.

Miró a Hani con seriedad, para comprobar si la había oído. Sí, la había oído. Hani apartó la mano de la frente de Tala y se la llevó torpemente a la barriga, como si hubiera recibido un balazo. No había forma de malinterpretar las palabras de Tala, los negros postigos que acababa de cerrar sobre su corazón no dejaban pasar ni un resquicio de luz. La frase no era ambivalente, y el tono no se prestaba a confusión. Tala había tomado una decisión, y no había nada que hacer.

—¿Por qué? —preguntó con una voz hosca.

—No me parece adecuado.

Hani reflexionó.

—¿Necesitas más tiempo? No me importa que no haya boda —siguió—. Podemos irnos de aquí y ponernos a vivir juntos, lo que tú quieras.

Hani se dio cuenta de que estaba llorando y parpadeó para disipar las lágrimas que se le agolpaban en el rabillo del ojo.

—No quiero una boda —insistió—. Solo te quiero a ti.

Durante aquellos largos y dolorosos momentos, Tala se dio cuenta de que se odiaba a sí misma con una intensidad que pocas veces había experimentado en el pasado. Que su autoengaño y su ensimismamiento, su sometimiento a la sociedad y a familia en la que había crecido, hubieran convertido a aquel hombre en un ser lloriqueante, le parecía algo horrible. Comprendió con más claridad que nunca que debía cambiar, si no quería seguir hiriendo a las personas que la amaban. Como Hani.

—¿Hay algo que pueda hacer para salvar lo nuestro? —preguntó Hani, pero la racionalidad de la pregunta se perdió bajo el desesperado temblor de su voz.

—No. No has sido tú quien lo ha estropeado. Es todo culpa mía, Hani, y lo siento mucho, siento mucho no haber sido capaz de sincerarme contigo, y conmigo, hasta ahora.

—¿Qué ha pasado? ¿He hecho algo?

Tala lo miró. Seguramente le tranquilizaría conocer el verdadero motivo, saber que, hiciera lo que hiciera, nunca podría competir con la persona a la que Tala deseaba realmente, pero no tenía valor para reconocerlo en voz alta, para admitirlo ante otra persona. Seguía habiendo un sentimiento de vergüenza asociado a la idea, que se aferraba a ella como una telaraña.

—Te quiero, Tala.

—Yo también te quiero.

—¿Pero no lo suficiente para casarte conmigo? —preguntó Hani con voz hosca.

—No del modo en que debería —dijo Tala en un susurro.

Se levantó para abrazarlo y él se dejó rodear por sus brazos, pero se mantuvo tenso y nervioso, hasta que Tala le bajó la cabeza para apoyarla contra su pecho, y Hani emitió un suspiro entrecortado y no se movió durante varios minutos.

* * *

A Reema la invadió una furia que al cabo de dos horas se había convertido en un lamento histérico por el fin de sus esperanzas. La atmósfera de la casa era la de un funeral. El sol golpeaba con contundencia los ventanales; la vida vegetal del jardín seguía exhalando el denso aroma del crecimiento. Sin embargo, entre las paredes de la casa, todo estaba muerto. Los pasos enfadados y arrastrados con los que Reema subió la escalinata que conducía a su dormitorio, el dibujo apretado y tenso de sus labios, hacían pensar en una mujer que en mitad de los preparativos de una boda se ha visto obligada a vestirse para un funeral.

Reema ordenó secamente a Rani que preparara las maletas de su hija, todas las que pudiera, porque al día siguiente quería llevársela a Londres para pasar una larga temporada. No podía permitir que siguiera en Jordania, donde no haría más que seguir avergonzándolos, y la idea de quedarse recibiendo a las visitas, que se compadecerían de ella, preguntarían y la someterían a un interrogatorio, le resultaban demasiado difícil de soportar.

La anulación de los tres compromisos anteriores ya había sido bastante mala, pero ¡esto! Romper tan de repente, avergonzarlos a todos, estropearlo todo justo el día antes de la boda, era totalmente intolerable, y Reema no estaba dispuesta a tolerarlo, desde luego. Aunque tenía que aceptarlo —no tenía más remedio—, porque, como siempre, Omar era el eslabón débil, siempre demasiado compasivo cuando lo que se necesitaba era su poder y la fuerza de su masculinidad. Omar siempre se ponía de parte de Tala cuando una crisis alcanzaba el punto culminante. Omar nunca la obligaría a contraer matrimonio. Si lo hubiera intentado, Tala habría entendido que casarse con alguien no es ni mejor ni peor que otro centenar de cosas que se pueden hacer a lo largo del día. Pero todo había terminado; la unión entre

Tala y Hani (ese chico tan apuesto, tan bueno, tan perfecto) se había roto. Y Reema nunca lo perdonaría. Decidió que su hija había muerto para ella, al menos durante el futuro próximo.

Los comerciantes y vendedores ambulantes del centro de Amán proporcionaban un trasfondo de constantes gritos a los oídos de Hani. Se quedó quieto, con el sol dándole en la nuca, y escuchó cómo pregonaban los nombres y las cualidades de los míseros productos que intentaban vender. Le gustaba esa parte de la ciudad, el zoco. No habría vivido allí a no ser que no tuviera más remedio (era una zona ruidosa, sucia y superpoblada), pero no le inspiraba la antipatía que sentían la mayoría de las personas de su misma clase. El barrio de Amán Oeste, donde vivía ahora, era un enclave aislado, un falso pueblecito dentro de la capital. Sus colinas estaban salpicadas de bonitos chalés y en sus anchas avenidas había elegantes restaurantes, pero le faltaba la vitalidad que bullía en el centro, el clamor tosco y apremiante de la vida cotidiana. Hani había crecido en las proximidades del centro antes de que su padre hiciera fortuna; su familia no era tan pobre como para vivir en las míseras callejas del mercado, pero tampoco tan rica como para alejarse mucho de los gritos de los muecines y el ruido de las camionetas de reparto que circulaban por las estrechas calles donde todo se cubría de una capa de arena procedente del desierto. A Hani le gustaba Amán, y a Tala no. Él amaba a Tala, pero Tala no lo quería lo suficiente para aceptar un compromiso de por vida. El mundo parecía sencillo para los comerciantes del zoco: era cuestión de sobrevivir o fracasar, de vender lo suficiente para comprar comida y unos harapos, o morir de hambre. Y ahora el mundo también se había vuelto más sencillo para Hani, que no tenía preocupaciones tan básicas como el hambre o las necesidades materiales. Había luz y había oscuridad, y aunque hacía unos momentos, cuando aún estaba sentado frente a su mesa de trabajo, lo inundaba la luz de la felicidad, ahora estaba inmerso en la oscuridad del desamor. Notó que alguien le tiraba de la manga. Un chiquillo sucio y flaco le tendió una bolsa de higos.

—Cincuenta fils —dijo el chiquillo, con una gran sonrisa.

Los ojos de Hani fueron a la fruta. Los higos, apretujados dentro de la bolsa de plástico, estaban casi completamente negros, con trozos donde la piel se había abierto y dejaba ver la pulpa de color rojo oscuro. Desde donde estaba, notaba su olor pútrido.

—Vale, treinta fils —propuso el niño, rebajando el precio.

Volvió a tenderle la bolsa de plástico, acercando a sus ojos la fruta podrida. Hani cogió la bolsa y la sostuvo entre sus manos. Le pareció que aquellos higos pasados y blandos tenían un tacto agradable. Era eso lo que quería tocar, ahora que ella se le había escurrido entre los dedos. Era lo único que le quedaba, y aún no sabía cómo lograría rescatar lo que pudiera salvarse de su vida de entre los restos podridos de la fruta. El chico extendió la palma de la mano. Hani se hurgó en el bolsillo, sacó dos dinares y los dejó sobre la mano del chiquillo.

—*Shukram, ammo* —dijo el niño, contento—. ¡Que Alá te dé la felicidad y cumpla todos tus sueños!

Hani lo despidió con un gesto y el niño se fue con una sonrisa. Hani lo miró mientras se alejaba corriendo, gritando y dando puñetazos de alegría al aire.

Capítulo 13

Yasmin regresó de su viaje de trabajo poco después de la hora de la cena, pero, aunque fuera algo tarde para una familia no demasiado dada a trasnochar, le extrañó no encontrar alguna luz encendida y el suave zumbido del televisor. Entró con vacilación en el vestíbulo, casi esperando que Maya la recibiera armada con un rodillo de cocina (era algo que ya le había sucedido una vez en que se había presentado sigilosamente a las tres de la mañana), pero no había ninguna señal de vida.

—¡Ya estoy aquí! —gritó, y su voz resonó en vano en la entrada.

Subió al primer piso, dejó atrás la habitación de sus padres, que ya estaba en completa oscuridad, y se paró frente a la de Leyla, bajo cuya puerta asomaba una rendija de luz.

—¡Hola! —dijo Yasmin, dando un golpecito con los nudillos.

Esperó un momento y al final abrió la puerta y entró. Vio a Leyla sentada frente al escritorio, corrigiendo algo con un lápiz. Su hermana levantó la mirada solo un instante, observó Yasmin mientras atravesaba la habitación y se tumbaba sobre la cama.

—¿Qué pasa aquí? He visto tanatorios más animados que esto.

Leyla apartó los ojos de los papeles y miró por la ventana. Un señor trajeado estaba subiendo a un coche aparcado al otro lado de la calle; un gato acababa de entrar de un salto en el jardín y atravesaba silenciosamente el césped. En su calle reinaba la tranquila y reconfortante calma de la periferia. Era una calle donde nadie era gay, o por lo menos nadie lo decía.

—¿Qué ha pasado? —preguntó Yasmin.

Leyla se dio la vuelta y miró a su hermana.

—Anoche le dije a mamá que soy lesbiana y se puso hecha un basilisco.

—¿Eres lesbiana? —preguntó Yasmin, incorporándose de golpe.

—Ya lo sabías —replicó Leyla.

Yasmin se frotó los ojos y pensó que su hermana quizá tenía razón. Aun así, oír la noticia en boca de la propia Leyla seguía teniendo cierta capacidad de impacto. Sin embargo, intentó alejar esta idea, porque había un conflicto paterno que solucionar.

—¿Y papá? —preguntó.

—Papá llegó en plena discusión. Se portó muy bien.

Yasmin soltó una risita al imaginarse la escena.

—No tiene gracia —protestó Leyla—. Mamá ha reaccionado como si le hubiera clavado un cuchillo.

—Es lo que has hecho —corroboró Yasmin—. Le has reventado el globo en el que vivía. Contaba con casarte el año que viene...

—¿Con quién?

—¡Qué más da! —Yasmin se encogió de hombros—. ¿No podrías casarte con Tala? A lo mejor así tendrías a mamá contenta.

Leyla apartó la mirada, asombrada de la perspicacia de su hermana, pero también conmovida al escuchar aquel nombre en voz alta. Clavó los ojos en los papeles y bolígrafos del escritorio.

—Tala no tiene nada que ver. La cosa es que alguien me ha propuesto una cita —añadió con voz animada.

—¿Una chica? —exclamó Yasmin.

—Sí, una chica —repitió Leyla, molesta.

Yasmin se dejó caer sobre la cama para asimilar la noticia.

—Me alegro mucho, Leyla. En serio. Estoy orgullosa de ti.

Leyla tragó saliva, intentando contener las lágrimas que le asomaban a los ojos. Sentía gratitud hacia su hermana, y también alivio por haber aprovechado la ocasión de sincerarse con sus padres. En un arrebato de cariño, se levantó para abrazar a Yasmin, pero se detuvo antes de rodearla con sus brazos porque oyó que su hermana soltaba una carcajada.

—¿Qué pasa?

A Yasmin le temblaban los hombros mientras intentaba hablar.

—Toda mi vida, cuando me escabullía de casa para encontrarme con mis novietes, rompía el toque de queda, me iba a vivir fuera, aguantaba broncas, me he estado preguntando: ¿hará alguna vez Leyla algo que cabree a nuestros padres?

Se incorporó para secarse las lágrimas y se echó a reír con tanta fuerza que, por primera vez en dos días, Leyla sonrió.

La culpabilidad que sentía Tala por la forma en que había tratado a Hani quedaba compensada por un incontenible sentimiento de liberación y de alivio, pero, por agradable que le resultara, al mismo tiempo hacía que se sintiera aún más culpable. En los primeros días de su regreso a Londres había estado muy ocupada, concentrándose en el trabajo para que el momento en que ya no sentiría nada llegara cuanto antes. Sin embargo, mientras atravesaba el parque para ir a tomar algo con Ali antes de asistir a una cena de negocios, sintió que la envolvía una capa de vergüenza, incluso desde antes de saludar a su amigo. Al ver cómo el desgarbado cuerpo de Ali aceleraba el paso, al verlo esbozar una sonrisa cariñosa, Tala pensó por primera vez que no solo había traicionado a Hani, sino también, y de una forma intolerable, a Ali. Los largos y lánguidos días de locura que había vivido con Leyla habían transcurrido sin que se parase a considerar que la persona que le atraía, y con la que se había acostado, era la novia de su amigo.

—¡Hola! —la saludó Ali. Tras darle el abrazo acostumbrado, dio un paso atrás y la miró con curiosidad—. ¿Cómo estás? Lo habrás pasado muy mal estos días...

Tala tragó saliva e intentó sonreír.

—Estoy bien. Pero me siento mal por Hani.

Miró a Ali con unos ojos llenos de tristeza y compasión, compasión por él, aunque Ali no la entendió, porque enseguida la estrechó en un abrazo para consolarla. Echaron a andar por el sendero, y sus pasos resonaron a la luz del atardecer.

—Hiciste lo correcto, Tala —opinó Ali—. Si Hani no era la persona adecuada...

—Debería habérselo dicho antes —contestó Tala, y su voz sonó profunda y ronca, cargada de rabia hacia sí misma y también hacia Ali, por ser tan comprensivo cuando debería odiarla.

Alzó la mirada y vio brillar las primeras estrellas. Era una visión poco habitual en aquella ciudad tan a menudo oprimida por una capa de nubes, y Tala se detuvo un largo momento a contemplar el cielo, intentando serenarse. Al final respiró hondo, se volvió hacia Ali y sonrió.

—¿Y tú, cómo estás?

—Bien —contestó Ali—. ¡Joven, libre y soltero! —Rió.

—¿Soltero? —Tala titubeó—. ¿Ya no sales con Leyla? —Tala sintió en la lengua el sabor delicado y suave de aquel nombre, de aquella palabra frágil que no quería entregar al frío aire de la noche.

—Me ha dejado. —Ali vio su expresión de asombro y se encogió de hombros—. Sí, ya sé, es difícil de creer —añadió, con seria ironía—, pero al menos no ha sido por mi culpa. Me ha dicho que es lesbiana.

Tala lo miró fijamente y enseguida volvió la cara y cerró la boca, que había abierto en un gesto atónito. Ali asintió comprensivo al advertir la reacción de su amiga.

—Sí, ya sé. Para mí también ha sido una sorpresa. Por lo visto se lo ha dicho también a sus padres.

—¡Es increíble! —susurró Tala.

—Ya. En nuestra comunidad no hay mucha gente dispuesta a llegar tan lejos. Su coraje es admirable. —Ali soltó una risita, y cuando Tala lo miró, vio melancolía en su mirada—. Siempre ha sido valiente. Es lo que me gusta de ella.

Ali miró a Tala en busca de complicidad, y Tala hizo un pequeño gesto de asentimiento, corroborando que su amigo tenía razón en echar de menos a Leyla. Ali emitió un suspiro, echó a andar otra vez y le tendió la mano, que Tala oprimió con fuerza para transmitirse su consuelo, además de la callada disculpa que no se atrevía a pronunciar.

Al volver a casa, Tala entró silenciosamente en el oscuro comedor, que solo iluminaba el parpadeo espectral de la pantalla del televisor, pero el sonido de sus pasos bastó para despertar a Reema, cuya melena de peluquería emergió por encima de su butaca favorita, seguida de la llamita amarilla del encendedor.

—Qué tarde vuelves, mamá —observó Reema.

Tala le notó una voz soñolienta, entró y se paró frente a la butaca. Evidentemente, Reema clavó otra vez sus ojos adormilados en la pantalla del televisor, desconcertada porque había perdido el hilo.

—Tenía una cena de negocios. Les han gustado el proyecto y los productos. Y también he visto a Ali —explicó Tala, pero su madre no parecía escucharla.

—¡Ese hombre estaba en la cárcel hace cinco minutos, y ahora está en la calle! —se quejó Reema, observando el televisor con disgusto—. Hoy en día ya no se escriben buenas historias —declaró—. ¿Dónde están las historias de amor? ¿Quién quiere tanta cárcel y tanto tiroteo?

—¿Por qué no te vas a dormir, mamá? —propuso Tala—. Tienes cara de cansada.

Reema oyó sin dificultades este último comentario, porque tenía que ver con uno de los temas a los que era más sensible: su aspecto.

—Claro que estoy cansada. Tengo muchas cosas en las que pensar. Tú también estarías cansada si tuvieras mis preocupaciones.

Miró a su hija con ojos aturdidos y medio ocultos por el humo. Tala sonrió brevemente y se dispuso a marcharse. Era tarde, la habitación estaba demasiado oscura, y le resultaba demasiado deprimente quedarse a charlar con su madre, con solamente el parpadeo de la pantalla iluminando sus rostros tensos.

—Me voy a la cama, estoy reventada —anunció, bostezando para dar credibilidad a la frase.

Pero Reema ya volvía a estar concentrada en la película, dejando a Tala en libertad para huir y refugiarse en su cuarto, cosa que hizo rápidamente y con el menor ruido posible.

Una vez allí, cerró la puerta, encendió la luz y abrió los cajones del sobrio escritorio antiguo que se alzaba en el rincón. Sobre el tablero había papel de cartas con su monograma, grueso y de suave tacto, una pluma que le habían regalado una vez sus padres por Navidad y un sólido sello de plata con sus iniciales grabadas, que había sido un regalo de Lamia. Tala no usaba prácticamente nunca estos objetos, los tenía únicamente para dar un toque decorativo a una habitación en la que no había demasiados muebles. Las maderas lisas, las paredes pintadas de blanco y las sobrias baldosas de granito de su habitación eran muy distintas al dorado batiburrillo de mobiliario y objetos de decoración que dominaba el mundo de sus padres.

Rebuscó en vano en dos de los cajones, y cuando ya estaba a punto de concluir que había tirado a la basura las revistas donde salían los relatos de Leyla (no había vuelto a leerlas tras su súbita marcha, envuelta en la culpa y la angustia por la ruptura con Hani), las encontró arrolladas al fondo del último cajón, como un triste recordatorio de aquella pasión fugaz. Con gestos metódicos, las sacó y las alisó sobre la mesa. En cuanto leyó el nombre impreso bajo los títulos sintió un cosquilleo eufórico en la piel, una sensación que deseó poder frenar, o al menos controlar, porque ignoraba si detrás de ella había algo real o solo una imaginación desesperada que había convertido un encuentro breve e intenso en una relación significativa. En realidad daba igual, porque los relatos eran lo único que le quedaba de todo aquello, ya que se había alejado de la posibilidad de estar con la persona que los firmaba y no sabía si alguna vez sería perdonada.

Dejó las revistas sobre la cama y se fue a ducharse y cambiarse, retrasando conscientemente el placer de leer las historias de Leyla. Más allá de la luz tamizada y el silencio del dormitorio, la vida de la ciudad seguía su curso. Desde la calle llegaba el sonido de sirenas policiales, rugidos de motos y la música árabe que salía de un coche. Una voz rústica y gritona agitó el aire de la noche, insultando a otro conductor con cadencias embriagadas, y pasó una pareja que hablaba animadamente. Tala cerró la ventana, apagando la intensidad de los sonidos, y se acostó. Disfrutó un momento en silencio del frescor que las sábanas recién planchadas aportaban a su piel acalorada, y acto seguido se levantó para coger las revistas.

Leyó los relatos rápidamente, sin atreverse a esperar que le produjeran la misma impresión que la primera vez, pero sí se la causaron, y quizá aún más intensa, porque al acercarse al melancólico final sintió el cosquilleo de las lágrimas en los ojos. Extendió instintivamente el brazo para coger el teléfono y el número de Leyla, olvidado desde hacía demasiado tiempo en la agenda, pero era casi medianoche, y al fin y al cabo conservaba cierto sentido de la discreción. Decidió que podía esperar al día siguiente, pero que entonces llamaría sin falta.

En un ataque directo contra el ánimo fúnebre de su madre y su obstinado y silencioso encierro en la habitación, Yasmin bajó la escalera a primera hora de la mañana, antes de que los demás se levantaran, fue directa a la radio de la cocina y la puso a un volumen tan alto, que las tazas de porcelana que colgaban sobre la encimera pero nunca se usaban empezaron a temblar. Como esperaba, el bullicio atrajo a su hermana Leyla, que entró cautelosamente en la cocina, buscando indicios de su madre. Después de ver que no había peligro, Leyla husmeó el aire y preguntó.

—¿A qué huele?

—A café de verdad —respondió Yasmin, bailando al son de la música—. He pensado que había llegado el momento de acabar con la tiranía del té aguado.

Leyla sonrió y ayudó a su hermana a llevar a la mesa los cuencos y los cereales. Bajo los rítmicos y fuertes golpes de la percusión, Yasmin fue la única que oyó el estridente sonido del teléfono y contestó la llamada, para enseguida pasarle el auricular a su hermana.

—¿Quién es? —preguntó Leyla, frunciendo el ceño.

—Tala —articuló Yasmin en voz baja, guiñándole un ojo.

—No quiero hablar con ella —dijo Leyla sin pensar.

Yasmin dio otro par de sensuales pasos de baile, antes de tirarse de rodillas al suelo, darse golpes en el pecho y mesarse los cabellos, en una silenciosa súplica a favor de

Tala que no tuvo ningún efecto en su hermana. Leyla negó con la cabeza y apartó la mirada, manteniéndose callada y rígida en su silla, con las palmas de las manos posadas en la mesa, como si buscara apoyo. Yasmin se fijó en sus gestos y se dio cuenta de que Leyla estaba haciendo un gran esfuerzo para mostrarse indiferente. Alzó una ceja y volvió a acercarse el teléfono al oído.

—Lo siento, ahora mismo no puede ponerse —dijo.

Con un suspiro, colgó y volvió a subir el volumen de la música.

En su habitación, Maya se removió incómoda. El estruendo de la música, apenas mitigado por la gruesa moqueta, hacía retumbar las tablas de madera del suelo. Maya había disfrutado de unos cuantos días de autocompasión, encerrada casi todo el tiempo en su cuarto mientras los demás se encerraban cada uno en el suyo, pero ahora se habían apoderado otra vez de la casa, de la cocina, y solo Dios sabía qué brebajes estaría preparando Yasmin. Y la verdad, Maya empezaba a cansarse de imaginar esa boda a la que nunca llegaría a asistir. Se levantó, se puso una camiseta y unas zapatillas y bajó a toda prisa a la cocina, donde comprobó que todo era mucho peor de lo que esperaba. La música sonaba a todo volumen, si es que ese estrépito podía ser considerado música, y en el aire flotaba un desagradable olor a café. Maya apagó la radio con un gesto enfadado.

—¿Cómo podéis entenderos con tanto ruido? —preguntó.

—Bueno, Leyla no tiene problemas para entender —se burló Yasmin.

Maya lanzó una mirada fulminante a su hija. No había captado la broma, pero se había dado cuenta de que tenía que ver con Leyla y sus problemas. Apretando los labios, encendió el hervidor de agua eléctrico, que estaba apagado, y echó una mirada suspicaz al extraño cacharro metálico que borboteaba en el fogón.

Leyla hizo un gesto a su hermana para que se calmara. Quería abordar el tema con su madre de una forma más diplomática; prefería perder unas horas intentando cambiar el punto de vista de Maya, que pasarse meses discutiendo por detalles nimios que terminarían desembocando en los temas más peregrinos, como la forma de hacer la colada, la frecuencia con la que comía en casa o el uso excesivo del teléfono. Pero por lo visto Yasmin no estaba de humor para plegarse a los deseos de nadie.

—No es culpa de Leyla, mamá. No ha hecho nada malo, y tú la estás tratando como si fuera una delincuente.

—¡Ah, conque la culpa es mía! —exclamó Maya—. ¡Claro, de quién iba a ser! ¡Si en esta casa solo soy el chivo expiatorio!

Yasmin suspiró y se sentó a la mesa, consciente de que el momento de felicidad que pensaba disfrutar con su café y su cruasán ya no llegaría. Maya dejó encendido el hervidor, cogió el mando a distancia, apuntó cuidadosamente al puntito rojo del pequeño televisor que tenía en la encimera y estuvo veinte segundos buscando el botón adecuado antes de pulsarlo. La exagerada atención con que ejecutaba un acto tan sencillo, la elevación de un gesto banal a la categoría de acontecimiento tecnológico, irritaron todavía más a Yasmin, que reprimió la urgencia de arrebatarle el mando a su madre. Tal como estaba de humor, Maya no tiraría la toalla fácilmente.

—¿No podríamos hablar con calma, mamá? —empezó a decir Leyla, pero los ojos de Maya siguieron obstinadamente clavados en la pantalla, en la que apareció una tertulia compuesta por viudas de travestidos. Yasmin lanzó una mirada al televisor y resopló otra vez, intentando que no se le escapara el café, mientras Maya sentía el cosquilleo de las lágrimas en los ojos, una muestra de la pena que le producía comprobar que en este mundo nada se libra de los tentáculos de la depravación. Deshizo los pasos de su irritante manipulación del mando y, en el profundo silencio que siguió, miró a Leyla.

—¿Por qué me haces esto?

Yasmin se volvió hacia ella.

—No te está haciendo nada. Simplemente es lesbiana, no es una elección. Creo que eres tú la que debería explicarnos por qué te cuesta tanto aceptarlo.

Leyla sabía que las posibilidades de evitar un extenuante combate cuerpo a cuerpo con su madre habían quedado reducidas a cero tras este último discurso de Yasmin, pero aun así la aplaudió en silencio. Miró a su hermana: guapa, desgarbada, con el ceño fruncido en un gesto de rabia y preocupación y los brazos cruzados sobre el pecho, en una actitud de absoluto aplomo.

Maya necesitaba tiempo para pensar. Por un lado podía dejarse llevar por su reacción instintiva, que era lamentarse de que, tras haber dedicado tantos años a cuidarlas, sus hijas se dirigieran a ella de aquel modo. Sin respeto, sin consideración, sin nada. Elaboró mentalmente el discurso, lo cual le produjo una inmediata satisfacción, aún más deliciosa porque sus ingratas hijas no sabrían qué responderle. Tras disfrutar de esta primera gratificación, se volvió hacia Yasmin y se dio cuenta de que no tenía nada que decir. Lo único que sentía era miedo, incrustado en el pecho como una bala de acero. Tenía cincuenta y dos años y no había hecho más que criar a aquellas niñas y atender a su marido. Ya era bastante trabajo, tal como se había encargado de recordarles casi diariamente durante un cuarto de siglo, y ahora resultaba que su única recompensa, el premio que esperaba con ilusión desde hacía tanto tiempo, la boda, no iba a tener lugar. Y sin eso, sin los preparativos, las compras, las felicitaciones y el aumento de prestigio ante los feligreses de la mezquita, no sabía qué le quedaría cuando Leyla anduviera ligando con chicas en los bares de lesbianas y Yasmin, Dios no lo quisiera, estuviera de mochilera en el subcontinente asiático. Sam estaba cada vez más inmerso en su trabajo, que no se acababa nunca y lo retenía cada vez más horas en la oficina, a pesar de que ella le pedía que se lo tomara con calma y pasara más tiempo con ella. Y ella no sabría qué andarían haciendo sus hijas, ni con quién. Estarían lejos, solas, aprendiendo cosas en las que Maya nunca había pensado, en libros de los que nunca había oído hablar. Habrían salido de su ámbito de influencia. Maya cerró los ojos un momento y trató de buscar una frase comprensible que expresara todo lo que sentía.

—¿Qué hacen dos mujeres juntas? —dijo al final.

E instantáneamente, sus hombros caídos, la mirada huidiza de sus ojos confusos y enfadados, acusaron su fracaso: nunca podría explicar qué había querido decir con eso.

Yasmin movió la cabeza y suspiró, mientras Leyla acariciaba el hombro de su madre con una delicadeza que a su hermana le pareció excesiva e injustificada.

—¿Calceta? —sugirió Yasmin—. ¿Cocer mermelada?

—¡No es natural! —exclamó Maya.

—¿Cocer mermelada? Estoy de acuerdo. No cuando puedes comprarte un buen bote por un par de libras, sin tener que pelar y cocer nada. Y además, ¿qué demonios es la pectina? —Yasmin miró a su madre y a su hermana y vio que las dos se esforzaban en no sonreír. Dejó una taza de café delante de Maya—. Anda, prueba esto —propuso—. Ha llegado el momento de ampliar tus horizontes, madre.

Maya suspiró enfadada y husmeó la taza como si pudiera contener arsénico, pero al cabo de un momento, consciente de la mirada de sus dos hijas, la cogió y dio un sorbito, aunque solo fuera para tener la satisfacción de decirles que el sabor era horroroso.

Capítulo 14

Tala mantuvo el móvil pegado al oído y escuchó otra vez el rumor de fondo de la casa de Leyla como si contuviera la clave del futuro. En los últimos días se había encontrado en dos ocasiones con una voz educada al otro lado de la línea (una vez la hermana y la otra, el padre), y las dos veces le habían confirmado que Leyla estaba en casa, pero al volver a ponerse al teléfono habían rectificado diciendo que estaba ocupada.

—¿Hola? —Era otra vez la voz del padre, lo cual no era un buen augurio—. Está liada con algo ahora mismo.

—Gracias, ya volveré a llamar —dijo Tala. Esperó a oír el chasquido final, el feo y frío sonido del tono de comunicación. Debería haber preguntado la dirección, porque empezaba a ser consciente de que no podía volver a llamar, no después de haber sido rechazada en tres ocasiones, no si no quería caer en la categoría de las acosadoras.

Rápidamente, haciendo acopio de valor, pasó junto a la cama, que parecía tan acogedora. Solo le costaría un segundo dejarse caer, acurrucarse bajo el edredón, recostar la cabeza en la almohada, cerrar los ojos y pensar en Leyla, o mejor aún, dormirse y olvidarla. Pero entró en el baño, se desnudó, abrió la ducha y esperó a que saliera agua caliente. Se miró un momento al espejo, recordando la noche que habían pasado juntas en Oxford, aquella noche de locura y realidad. Se encogió de hombros, se recogió el pelo en la nuca y se colocó bajo el reconfortante chorro de agua. Al cabo de dos horas tenía que estar en una conferencia al otro lado de Londres, y antes de salir aún tenía que terminar una cosa del trabajo.

—Uno de los descubrimientos arqueológicos más importantes de este siglo, de cualquier siglo, es posiblemente el de la desaparecida ciudad de Petra. Tallada en piedra rojiza por los nabateos, se ha convertido en un símbolo de la historia y las bellezas de Jordania...

Tala abrió los ojos y trató de concentrarse en el conferenciante. Estar un momento con los ojos cerrados podía interpretarse como un gesto reflexivo, pero dejarse llevar por el sopor que le inducía la penumbra de la sala sería una clara descortesía, sobre todo porque estaba allí en representación de la familia. La serie de conferencias había tenido tanto éxito en Oxford durante el verano, que habían decidido repetirla en Londres. El conferenciante era divertido y agradable y tenía cautivado al resto del público, pero

Tala ya le había oído ensalzar las maravillas de Jordania otras tres veces, de manera que se entretuvo contemplando la madera labrada del salón de actos donde estaba sentada, entre veinte filas de espectadores. Observó a algunos de los asistentes, a aquellos hacia los que podía dirigir la mirada sin volver la cara. Parecían seguir la conferencia educadamente y con interés. Había bastantes personas de edad, más hombres que mujeres, y, unas filas más adelante, una chica muy parecida a Leyla. Tala sintió que el corazón le daba un vuelco y tuvo que bajar la vista para controlarse. No era la primera vez que le parecía ver a Leyla en el lugar menos pensado. Una vez había visto pasar a una mujer de piel morena y pelo negro y brillante y había corrido tras ella entre la gente, convencida de que era Leyla la que estaba a punto de subir a un taxi, pero al llegar a su lado había visto que la chica en cuestión, a la que no conocía de nada, se volvía hacia ella con cara de pavor, como si la estuviera atacando una loca peligrosa.

Alzó la cara otra vez y cambió de posición en la butaca para tener una mejor línea de visión. Escudriñó la nuca de la chica y el dibujo de sus hombros, que le parecieron tan similares a los de Leyla, que su corazón empezó a acelerarse. De repente, la chica se volvió hacia la mujer sentada a su lado, le susurró algo al oído y las dos sonrieron, y resultó que sí era Leyla. Tala estiró el cuello para ver quién la acompañaba, pero en ese momento terminó la conferencia y los asistentes empezaron a ponerse de pie en medio de los aplausos. Tala se levantó rápidamente de la butaca y se encaminó hacia la puerta. No sabía qué haría, pero algo en la intimidad del gesto que habían intercambiado Leyla y su amiga le había dado escalofríos, y no era capaz de seguir mirándolas.

* * *

—Por lo visto, a Petra solo se puede llegar a caballo. O en camello —dijo Leyla mientras bajaban las escaleras de mármol.

—Me encantaría verte montada en un camello —rió Jennifer—. Deberíamos ir.

Leyla contestó a su mirada azul con una sonrisa y pensó en cómo sería viajar con su nueva novia.

—Podríamos intentarlo.

Era un acercamiento, y Leyla vio la alegría reflejada en la sonrisa de Jennifer, y mientras se preguntaba si podía besar a su novia allí mismo, en el recodo de la escalera, notó que alguien le tocaba el brazo. Se paró, alzó la vista y descubrió con sorpresa que Tala estaba junto a ella. Al mismo tiempo comprendió que había empezado a olvidar el dibujo exacto de su cara y sus rasgos. Vio que Tala estaba más guapa de lo que recordaba, pero también distinta, más real, menos parecida a la imagen idealizada que Leyla había alimentado mentalmente. Apartó la vista de aquella mirada castaña que la escudriñaba, pero no pudo evitar que sus ojos se detuvieran en el hueco del cuello de Tala, donde había posado los labios hacía tiempo. Respiró hondo, porque notó que el corazón se le aceleraba y temió que todo el mundo lo oyera ahora que el ruido de los pasos y las conversaciones empezaba a apagarse a su alrededor. Era dolorosamente consciente de la presencia de Jennifer, de pie detrás de ella.

—¿Qué haces aquí? —preguntó, desprendiéndose de la mano de Tala.

—Mi familia patrocina la conferencia —explicó Tala—. Y tú, ¿qué haces aquí?

Leyla se aclaró la garganta, que notaba infinitamente rasposa.

—Me interesa Jordania.

—Tiene cinco millones de habitantes y ningún recurso natural destacable. Petra es preciosa, pero no hay mucho más que decir sobre Jordania —declaró Tala. Titubeó visiblemente y añadió, bajando la voz—: Soy yo lo que te interesa.

Leyla notó que sus mejillas se teñían de rojo. La incomodaba pensar que Jennifer podía haber oído el comentario, y la incomodaba la perspicacia de Tala. Tenía razón: en aquella tarde de sábado, la capital ofrecía un centenar de posibilidades más, aparte de una conferencia sobre ese país en concreto. Desvió la mirada hacia las baldosas de mármol del suelo y la mantuvo clavada en ellas para ganar coraje, antes de alzar los ojos otra vez con decisión y volver a sostener la mirada de Tala.

—¿Qué tal fue la boda? —preguntó, controlando el matiz de amargura que se filtraba en su voz.

El alivio que sintió Tala al escuchar esta pregunta, una pregunta que tanto había ansiado oír en boca de Leyla, casi le dio vértigo. Intentó reprimir la sonrisa que le asomaba a los labios mientras respondía:

—Pues...

—Vámonos, Leyla —la interrumpió Jennifer.

Tala clavó una mirada hostil en la chica que había detrás de Leyla. Era mona, pero arrogante. Leyla siguió su mirada.

—Te presento a mi amiga Jennifer —dijo cortésmente.

Tala vio que la «amiga» extendía la mano y constató con angustia que Leyla correspondía al gesto. Tala miró sus manos juntas, los dedos de Jennifer enlazados con los finos dedos de Leyla, que en el pasado habían jugado con los de Tala, habían recibido sus besos, habían acariciado su cara, su espalda, sus caderas y sus pechos.

—¿Tu amiga? —preguntó, en un tono de cuya impertinencia fue vagamente consciente, pero que no pudo controlar.

—Su novia —aclaró solícitamente Jennifer, y se apretó contra Leyla, que dio media vuelta y siguió bajando la escalinata con su amiga, alejándose de Tala.

Tala esperó sin moverse, hasta que el eco de sus pasos desapareció por completo, hasta que las voces apagadas de la discusión («¿Quién era esa?», «Ah, una antigua conocida») se fundieron con el rumor del tráfico.

Le quedaba media hora libre antes de encontrarse con Ali, de modo que no hizo caso de los taxis que pasaron por su lado, dos o tres de ellos reduciendo la velocidad, esperando que esa chica tan elegante que andaba sola por la calle los parase, porque la lluvia estaba arreciando. Mientras caminaba, Tala notó las gotas de lluvia golpeándole la cabeza y calando el grueso tejido de su abrigo, pero siguió avanzando, agachando la cabeza para rehuir el ángulo con el que el viento impulsaba la lluvia, de modo que no veía las majestuosas fachadas de ladrillo junto a las que pasaba ni podía consolarse con la suave iluminación de las farolas recién encendidas. Lo único que quería Tala en ese momento era sentir el peso y el frescor del agua que empapaba su ropa, el olor metálico de la lluvia en la ciudad impregnándole el pelo.

No le apetecía ver a Ali, hubiera preferido estar sola, pero siguió andando sin prisa hacia el lugar de la cita, porque también era eso lo que quería hacer. Era de justicia sentarse junto a Ali y recordar cómo lo había traicionado, a pesar de que él era tan bueno que intentaría animarla, aliviar la tristeza que advertiría en ella. Llegó al restaurante antes de la hora, pero Ali ya estaba esperándola. Tala se quitó el abrigo con rapidez, consciente de que estaba llenándolo todo de gotas de agua.

—¿No sabes que existe un invento fabuloso llamado «coche»? O el autobús, o el taxi... —le dijo Ali.

—Me apetecía caminar.

Tala no se movió, sintiendo cómo el agua le resbalaba por la nariz y la barbilla. Sacudió la cabeza, repentinamente incómoda bajo la mirada sensata de Ali, incapaz de explicar por qué se comportaba de un modo tan extraño.

Ali cabeceó y sonrió, y Tala vio que la mesa donde iban a sentarse estaba dispuesta para ocho.

—Vienen unos amigos —explicó Ali.

—¿Quiénes son? —preguntó Tala, intentando ocultar su fastidio.

—Jeff y algunos más. Leyla ha dicho que se apuntaría —añadió para convencerla—. Hace siglos que no la veo. Podremos ponernos al día.

—Estoy bastante cansada, la verdad. Necesito acostarme temprano. —Tala no era capaz de mirarlo, de modo que miró al camarero y le pidió el abrigo.

—¿Qué haces, Tala?

Tala no sabía qué decir, cómo explicar su extraño comportamiento. Solo sabía que habría necesitado atiborrarse de sedantes, y quizá ni siquiera así le habría bastado, para estar sentada a la misma mesa que Leyla y su novia, viendo cómo se tocaban, se daban a probar la comida, se miraban.

—Lo siento, no me encuentro muy bien. Creo que estoy cogiendo un resfriado —dijo, levantándose de la silla.

—Porque has llegado empapada... Tómate un té o algo, te sentirás mejor.

Pero Tala ya le estaba dando un beso de despedida.

—Lo siento, Ali —dijo, y calló un momento para acariciarle la mejilla, donde sintió el fino roce de la barba vespertina. Retrocedió un paso y lo miró a los ojos—. De verdad que lo siento.

—No es más que una cena, mujer —dijo Ali, sonriente. Pero Tala ya se había ido.

Capítulo 15

Yasmin comprobó con disgusto que la pasta que llevaba diez minutos preparando se negaba a quedar suave y elástica. No obstante, continuó amasando con enérgico empeño, porque la ayudaba a concentrarse en algo que no fuera la llamada de teléfono que estaba haciendo.

En su momento había pensado que podía estar bien discutir el plan con Ali. Le caía bien Ali, tenía sentido del humor, y además, a Yasmin le gustaba la idea de escandalizarlo un poco. Pero al oír su voz había sentido un arrebato de afecto mezclado con un poco de compasión, y no se había atrevido de momento a revelarle nada.

—Lo que intento decir —volvió a empezar—, es que el amor es una cosa extraña, que a veces surge donde menos te lo esperas. Es algo que no se puede controlar, y creo que uno tiene que dejarse llevar. Fomentarlo.

Al otro lado de la línea hubo una larga pausa, durante la cual Yasmin se colgó el teléfono del hombro y siguió amasando.

—¿Te has enamorado de mí? —preguntó Ali, y Yasmin percibió la sonrisa que le cruzaba la cara, pero también el desconcierto que transmitía su tono.

—Bueno, eres mono, pero no estoy hablando de mí —contestó secamente—. Quiero juntar a Tala y a Leyla y necesito tu ayuda.

—Pero ¿por qué?

—¿Por qué qué? —preguntó Yasmin, intentando dar a su voz un mínimo tono de paciencia, mientras introducía la masa en la máquina de hacer pasta italiana.

—¿Por qué quieres juntarlas? La otra noche lo propuse y Tala no se mostró nada interesada... De hecho, me da la impresión de que rehúye a Leyla, aunque no tengo ni idea del motivo.

Yasmin suspiró.

—Oye, ¿has oído hablar de la serie *The L Word*?

—No, pero ¿no podrías hablar sin adivinanzas? —replicó Ali.

Yasmin tomó aliento y dejó que sus siguientes palabras salieran atropelladamente de su boca:

—Es que se han enamorado.

—¿Quién se ha enamorado?

Yasmin miró con exasperación los raviolis a medio cortar.

—Leyla y Tala.

Esperó. Era evidente que Ali había entendido por fin la situación, porque lo único que se oía era el ruido de fondo del teléfono.

—Mira, Ali...

—Te llamo luego —la interrumpió Ali en voz baja, y colgó la llamada.

El día de la conferencia, al dar media vuelta y alejarse de Tala, Leyla había sentido un momentáneo alivio por poder aferrarse a la mano protectora de Jennifer, por poder demostrarle a Tala que había seguido adelante con su vida y que su boda no la había afectado. Y tenía que reconocer que al mismo tiempo había sentido cierto orgullo, porque había demostrado que ella, por lo menos, era sincera sobre sí misma. Sin embargo, el orgullo y el alivio quedaron rápidamente ocultos por otra sensación más intensa, la de la pérdida, y tuvo que excusarse diciendo que no se encontraba bien para no acompañar a Jennifer a su casa. No podía pensar en Jennifer en esos momentos, y no quería fomentar una intimidad que le habría permitido cerrar los ojos e imaginarse a Tala a pesar de estar con otra.

Por eso se había pasado los últimos tres días encerrada en casa, exceptuando las horas del trabajo, que eran menos que antes porque estaba preparando la inminente publicación del libro. La ilusionaba la idea del libro, pero también comprendía que el temblor que estremecía su cuerpo tenía más relación con el hecho de haber visto a Tala, de haber sentido el roce de su mano en su brazo, de haber vuelto a percibir aquella fragancia que ya había olvidado.

Entró en la cocina envuelta en el albornoz, pasó junto a Yasmin, que hacía algo raro con un cuenco de gambas, y llegó hasta el cuartito de lavar, donde su madre estaba planchando la camisa de su padre. Allí dentro hacía calor, las ventanas estaban empañadas por el vapor y había una luz agradable que alejaba la oscuridad de la tarde.

Maya alzó la vista y tendió la mano hacia el vestido negro que Leyla llevaba colgado del brazo.

—Dame, que te lo plancho —propuso—. Hace siglos que no te veo con vestido.

—Voy a salir.

—¿Con quién? —preguntó automáticamente Maya, y lamentó de inmediato haber hablado.

Se había propuesto no hacer preguntas de este tipo desde la desafortunada revelación de su hija, porque, si no preguntaba, no tendría que enterarse de cosas que prefería no saber. Pero allá, arrullada por el calor y los rítmicos movimientos de la plancha, había bajado la guardia. Clavó los ojos en la prenda que tenía sobre la tabla.

—Ali me ha invitado a cenar —contestó Leyla.

Maya alzó la vista, atenta. Era una novedad interesante.

—Es un chico simpático —empezó.

—¡Es un amigo, mamá!

Maya se mordió la lengua para no manifestar que al fin y al cabo los verdaderos matrimonios se basaban en la amistad y volvió a concentrarse en la plancha. Quizá si veía a Leyla con aspecto de chica, Ali se arrojaría a sus pies y pondría fin a aquella triste fase de su vida. Maya le tendió el vestido recién planchado, y Leyla se lo puso y dio un par de vueltas para ver cómo le sentaba. Maya sonrió.

En ese momento Yasmin apareció en la puerta del cuarto de lavar con las llaves del coche en la mano y soltó un silbido de admiración al ver a su hermana.

—¡Póntelo para el desfile del Orgullo! —propuso, sobre todo para que la oyera su madre—. ¡¡Se te tirarán encima!!

—Sale a cenar con Ali —mascculló Maya.

—¡Ah, qué bien! —exclamó Yasmin con una gran sonrisa—. ¡Es un chico tan simpático!

—¿Adónde vas tú? —preguntó Maya.

—Por ahí —contestó solícitamente Yasmin.

Maya soltó un bufido ante la falta de respeto de su hija menor y luego apagó la plancha, hizo salir a sus hijas y entró tras ellas en la cocina, donde una cacerola llena de agua hirviente lo estaba llenando todo de vapor.

—He hecho pasta con gambas para papá y para ti —explicó Yasmin.

—Si quisiera una sauna, me iría a un balneario —dijo Maya con fastidio, pero cuando se volvió para escuchar la consabida burla de Yasmin, vio que su hija pequeña la miraba con un respeto renovado.

—Eso ha tenido gracia, mamá.

—Que alguien vaya a abrir —dijo Maya, porque acababa de sonar el timbre, pero sus hijas, a juzgar por el interés que mostraban, parecían sordas.

Yasmin obedeció y volvió con un estuche alargado, que tendió a su hermana Leyla.

Leyla se paró avergonzada junto a los fogones, envuelta en la suave tela del vestido negro, mientras su madre y su hermana la miraban, y abrió cautelosamente el estuche, del que salió un magnífico ramo de rosas de tallo largo. Entre las flores había un sobre con su nombre escrito en tinta azul oscuro.

—¿Ali? —preguntó Maya con la voz entrecortada.

—¿Jennifer? —sugirió Yasmin.

—Tala —susurró Leyla.

Las tres se miraron, cada una incómoda por sus propias razones, hasta que Maya se volvió hacia la encimera para poner el hervidor y prepararse un té, Yasmin se fue a la calle y Leyla subió con el regalo a su habitación.

Refugiada en su dormitorio, encendió la luz y se sentó a abrir la nota. Del sobre salió una elegante hoja de papel, translúcida y delicada como un pétalo, pero no había ninguna carta como tal, con encabezamiento y firma, sino un poema:

> Todas las noches vacío mi corazón, pero a la mañana siguiente vuelve a estar lleno.
> Bajo la suave caricia de la noche, se ha ido impregnando de lentas gotas de ti.
> Al amanecer no dejo de pensar en ti y en mí,
> en un acuciante placer que no me da tregua.
> El amor no puede contenerse. El limpio envoltorio del deseo
> se parte en dos, tiñendo mis días de rojo.
> Mis largos y lánguidos días, mustios y anhelantes,
> que paso buscando una huella, un olor, un soplo de aire que quedara tras tu partida.

Leyla se enjugó las lágrimas que se le adherían pesadamente a las pestañas. Odiaba a Tala por hacerle eso, porque sabía que era Tala la que se había sentado a dar forma a aquel poema, la que lo había ideado y pulido, solo para ella. ¿Por qué? Era tarde, demasiado tarde. Leyla volvió a doblar el papel y lo deslizó bajo su almohada. Miró las rosas, de un rojo intenso con motas rosadas en los bordes, símbolo de la belleza perfecta y del amor perfecto. En un impulso, abrió la tapa del estuche y las volvió a encerrar, dispuesta a tirarlas, porque representaban un mundo que no existía en realidad, y no quería tener cerca nada que se lo recordase.

—¿Hay una reserva a nombre de Ali para las siete y media?

Leyla respiró hondo mientras el camarero consultaba la agenda. Durante el viaje a Londres había tenido tiempo de calmarse, y ahora se sentía más fuerte, un poco incómoda por la forma en que iba vestida, pero más segura también. Se alegró de haberse puesto el vestido, porque Ali había elegido un restaurante muy selecto.

—La otra persona aún no ha llegado, señora. ¿Quiere tomar algo en la barra, o prefiere sentarse ya a la mesa?

Leyla lanzó una mirada a la barra de madera pulida y a las resplandecientes copas de cristal, pero vio que había una clienta bastante rara, ataviada con un sombrero de ala ancha y unas gafas oscuras que le ocultaban el rostro. Pensó que debía de ser una actriz, porque le sonaba de algo.

—La mesa, por favor —dijo, y siguió al camarero hasta el comedor.

La mujer del sombrero se volvió y se la quedó mirando mientras se alejaba.

Tala esperó angustiada a que Leyla diera alguna señal de haber recibido el poema, hasta que, media hora antes de salir, empezó a vestirse. No sabía muy bien por qué Ali había insistido en invitarla a cenar, pero entendía vagamente que debía tener que ver con el hecho de haber aparecido la otra noche llorosa y calada hasta los huesos, para marcharse de repente. Hizo un esfuerzo por arreglarse un poco, en parte porque el restaurante donde Ali había reservado mesa era muy bueno, pero también para dejar claro que se encontraba bien.

No le sorprendió que el camarero le dijese que la otra persona ya estaba esperando, porque Ali solía llegar pronto a las citas; y de hecho, Tala agradecía esta peculiaridad de su amigo, que prefería esperar a hacer esperar a los demás. Al pasar junto a la elegante barra, notó que la miraba una extraña mujer que llevaba gafas de sol (¡por la noche!) y un enorme sombrero. Disimuló el azaramiento que le produjo la situación y siguió al camarero hasta la mesa.

Leyla había elegido ese momento para desplegar la servilleta, que parecía doblada por un maestro en origami, y por eso no se dio cuenta de que el camarero acompañaba a otra persona hasta su mesa hasta el momento en que alzó la cara y se encontró con Tala de pie frente a ella. Pestañeó sorprendida, y vio que su desconcierto encontraba eco en la expresión de Tala.

—Creo que nos han tendido una trampa —intervino Tala, vacilante.

—Eso parece.

El camarero le estaba presentando la silla, y Tala, no sin cierta arrogancia, tomó asiento en medio del silencio.

—El caballero se disculpa, señoras —dijo el camarero, tendiéndoles la carta—, pero les desea que disfruten de la cena a la que están invitadas.

De repente Tala sintió mucho calor, se notó las mejillas encendidas y cogió la botella de agua, que asomaba de un cubo lleno de hielo. Tomó un sorbo y miró a Leyla.

—Estás muy guapa —dijo.

—Tú también.

—Ya lo sé —contestó Tala con seria ironía.

Y Leyla rió. Tala respiró hondo, sonrió y se sintió algo más aliviada.

En la barra, una guapa joven ataviada con un sombrero de ala ancha y unas gafas de sol pagó la copa, tomó nota mental de no volver a pedir jamás un Martini de sandía, y salió del restaurante.

* * *

Leyla sabía que no podría estar mucho tiempo hablando de banalidades, pero se sorprendió a sí misma cuando, en la primera pausa de la conversación inicial, le preguntó a Tala cómo estaba su marido.

—No tengo marido —fue la respuesta.

Leyla intentó mostrar sorpresa (no le costó, ya que la noticia la había pillado desprevenida), pero también intentó contener su reacción instintiva, que era soltar una carcajada y lanzar un puñetazo al aire. Con silenciosa dignidad, conseguida a base de mirar fijamente el platito de la mantequilla, esperó a que Tala se explicara.

—Anulé el compromiso el día antes de la boda —contó Tala.

Un gesto tan espectacular merecía alguna respuesta.

—Debiste de pasarlo mal —insinuó Leyla.

—Solo ha habido otra cosa que me haya costado más —dijo Tala, clavando su mirada en la de Leyla.

Esta vez fue Leyla la que se sonrojó, porque había adivinado el significado del comentario, que por otra parte Tala había insinuado con bastante claridad.

—¿Y cuál es?

Tala desvió un momento la cabeza, esbozó una sonrisa y se volvió otra vez hacia Leyla.

—Dejarte a ti para volver a Jordania.

Leyla sonrió. Cogió la copa y tomó un sorbo de vino. El sabor se difundió levemente por su lengua y la hizo sentir vértigo. Pero era la primera copa que tomaba, y no era tan sencillo atribuir el vértigo únicamente al alcohol.

Tras dar una generosa propina al taxista, la joven del sombrero de ala ancha pasó junto a un grupo de oficinistas que habían salido a tomar algo después del trabajo y entró en un abarrotado local, que atravesó bailoteando al son de la fuerte música, hasta que se detuvo con un contoneo final delante de Ali. Lo vio un poco cansado y nervioso, como si llevara un buen rato esperando. Yasmin se quitó rápidamente las gafas y el sombrero.

—Vaya, veo que has sido discreta —comentó Ali.

Yasmin sonrió, se sacudió la melena que había llevado recogida bajo el sombrero y contempló cómo Ali le servía una copa de vino.

—¿Y bien? ¿Cómo ha ido? —preguntó Ali, impaciente.

—Ha habido un cruce de miradas —comenzó Yasmin, haciendo una pausa dramática—, y en la cara de Tala ha asomado una sonrisa. Y Leyla se ha relamido los labios en un gesto inconsciente... Todo está arreglado.

Ali le guiñó un ojo y apuró la copa.

—Aún me estoy haciendo a la idea, ¿sabes? —dijo.

—¿Te ayudará si te hago un dibujo?

—No, gracias —contestó rápidamente Ali—, pero sí que me ayudaría, un poco, que te quedaras a cenar conmigo.

—¿Para no quedarte solo y pensar todo el tiempo en Leyla? —preguntó Yasmin, intentando ser comprensiva.

Le caía bien Ali, era un chico divertido, amable e inteligente. ¿Cuántos hombres intentarían juntar a su ex novia con su mejor amiga? Ali le lanzó una mirada pensativa y tardó un poco en responder, pero cuando lo hizo, Yasmin tuvo la impresión de que le hablaba con sinceridad.

—No es eso —contestó Ali—. Es solo que me apetece cenar contigo. Nada más. Lo único que sé de ti es que está claro que quieres a tu hermana, y que preparas una ensalada griega riquísima...

Yasmin sonrió.

* * *

—¡No puedo creer que esté a punto de salir tu libro! —dijo Tala—. Es decir, por supuesto que me lo creo, pero me parece una noticia tan...

Para dejar de tropezarse con sus palabras, Tala acarició la mano de Leyla, en un gesto que expresaba su emoción y su orgullo. Y cuando sus manos estuvieron juntas, la sensación le pareció demasiado buena para interrumpirla. Con la actitud más despreocupada posible, oprimió los largos dedos de Leyla, pero al cabo de un momento esta se soltó con delicadeza. Tala se llevó la mano al pelo, consciente del rechazo, y cambió de tema.

—¿Cómo está tu novia?

—¿Jennifer?

Tala carraspeó.

—¿Ha habido más de una?

—No. —Leyla sonrió—. Está bien. Gracias por preguntar.

—¿La quieres?

Tala vio que Leyla se inclinaba un poco hacia el respaldo de la silla, quizá porque ella misma se había inclinado hacia ella, con febril insistencia, como si Leyla le debiera explicaciones.

—Hay cosas de ella que me gustan.

Esta vez fue Tala la que se reclinó en el respaldo. La impresión de oír las mismas palabras con las que ella se había referido a Hani hacía tiempo la había desconcertado. Miró las mesas cercanas con gesto displicente, vio pasar a un camarero y escuchó la carcajada educadamente contenida de la mesa que había tras ella.

—¿Y te basta con eso? —preguntó en voz baja. Sostuvo la mirada de Leyla, sin permitirle que apartara los ojos ni darle tiempo a zanjar la cuestión.

Leyla negó con la cabeza sin decir nada, y Tala la vio al borde de las lágrimas. Extendió delicadamente la mano hacia Leyla, para tocarle el brazo, o la mejilla, cualquier gesto que la consolara, la tranquilizara, pero Leyla reaccionó de una forma extraña. Leyla se apartó, y Tala se dio cuenta de que había una determinación nueva en sus ojos negros y transparentes.

—¿Qué pasa? —preguntó.

—¿Les has dicho a tus padres por qué anulaste la boda?

Tala vio el abismo que se abría frente a ella e intentó rodearlo.

—Les dije que no sería justo para Hani.

—¿Les explicaste por qué?

La insistencia de Leyla, su obstinado empeño en hablar de cosas que no entendía, molestó mucho a Tala. Apartó el plato, enfadada.

—No lo entiendes, Leyla. Oriente Próximo es un lugar duro. Y la familia de mis padres tiene una presencia importante en ese mundo, y es una cultura que no cambia...

—Y mientras las personas no se atrevan a reconocer con sinceridad quiénes son realmente, nunca cambiará.

Tala se adelantó hacia ella.

—Te quiero, Leyla. ¿Qué le importa eso a nadie más, aunque sea de la familia?

Leyla tenía una buena respuesta para darle, pero se había quedado aturdida mientras intentaba asimilar las dos palabras que acababa de oír en boca de Tala y que ahora comprendía que había ansiado escuchar desde hacía mucho tiempo. Se maravilló de que una frase tan vieja y estereotipada, tan repetida, pudiera cambiar todo un mundo cuando la pronunciaba la persona adecuada en el momento adecuado. Y sin embargo, Tala no era capaz de reconocer ante nadie más este sentimiento, este amor. Sería siempre algo oculto, ilícito, irreal.

—Yo no quiero mentir sobre la persona con quien estoy y los motivos por los que estoy con ella —declaró Leyla—. No quiero que seas mi pareja en casa y mi «amiga» en cualquier otro sitio. No puedo vivir así.

Vio que Tala apartaba la mirada, deseando que aquella conversación no hubiera empezado.

—Una vez me dijiste que debía aceptarme más a mí misma —dijo Leyla en voz baja—, y ahora yo te digo lo mismo a ti.

Tala intentó buscar una respuesta, algo que explicara por qué no podía hacer lo que Leyla esperaba, algo que le hiciera comprender que el mero hecho de amarse y estar juntas sería suficiente, pero constató con incredulidad que era demasiado tarde, porque Leyla se había puesto de pie y estaba recogiendo sus cosas para marcharse.

—¡No te vayas! —imploró Tala en un susurro, y Leyla se detuvo junto a su silla y posó los labios sobre su pelo, en un beso urgente y definitivo.

Después dio media vuelta y salió del restaurante, dejando a Tala en un estado de atónita incredulidad y amargo remordimiento.

Capítulo 16

Esa misma noche, al llegar a casa, Tala se dio cuenta, extrañada, de que pensaba más en Hani que en Leyla. Entró en el vestíbulo, que estaba silencioso y en penumbra. El ama de llaves, Rani, oyó el chasquido de la llave desde la cocina, donde acababa de poner agua a hervir. Al reconocer los pasos de Tala, vertió el agua humeante en una bonita taza que contenía una bolsita de papel y fue a buscarla al pie de las escaleras.

—Hola, Rani. ¿Dónde están mis padres?

—Han salido a cenar, señorita. Tenga, esto es para usted.

Tala cogió la taza, agradecida.

—Manzanilla. Gracias.

—De nada, señorita —contestó amablemente Rani.

—¿Me ha llamado alguien?

Pensó que Leyla podía haber telefoneado, haber descubierto que le era imposible vivir sin ella, aunque solo había pasado media hora desde que había salido del restaurante.

—Nada, señorita —dijo Rani con vacilación—. Lo siento.

Tala quitó importancia a la situación con una rápida sonrisa y subió pesadamente a su habitación. Algunas veces tenía la impresión de que la lacónica ama de llaves sabía más que nadie de todo lo que ocurría en esa casa.

Tala cerró con cuidado la puerta, se sentó al borde de la cama, en la oscuridad, y pensó en aquella velada que había empezado tan llena de promesas. Intentó recordar el hilo de la conversación, averiguar qué había roto la delicada evolución del flirteo, y se topó una vez más con sus propias palabras: «Les he dicho que no habría sido justo para Hani».

Era algo que le había parecido cierto en su momento, en plena crisis causada por la anulación de la boda. Era una frase que contenía la dosis adecuada de sentimiento de culpa e incluso insinuaba que romper el compromiso le haría más bien a Hani que a ella. Sin embargo, ahora le parecía solamente una excusa superficial, que ocultaba los motivos subyacentes. La insistencia de Leyla había desvelado en ella un renovado sentimiento de culpa hacia su ex prometido.

Con decisión, sin encender la luz, cogió el teléfono y marcó el número que tanto conocía.

—¿Diga?

—Hola, Hani. Soy yo. ¿Es un mal momento?

La intención de la pregunta era absolutamente práctica. Tala solo quería saber si Hani estaba en mitad de una comida, o durmiendo. Pero la duración del silencio le recordó que para Hani nunca habría un buen momento para volver a oír la voz de la mujer de la que había estado enamorado.

—Tranquila, no hay problema —dijo Hani al final—. ¿Todo va bien?

—Sí.

Hani esperó que Tala dijera algo más, que explicara el motivo de su llamada, pero entre los dos se instaló únicamente un silencio frágil como la tela de una araña.

—Tengo que contarte algo, Hani —empezó a decir Tala.

Tragó saliva y se llevó la palma de la mano a la frente, porque el frescor del contacto la calmaba un poco. Notó que Hani estaba esperando a que dijera algo y abrió la boca para seguir hablando, pero fue incapaz de decir nada.

—No me debes nada, Tala —dijo Hani, en un tono que no fue áspero pero tampoco amable.

El desaliento que transmitía su voz impresionó a Tala. Alzó la mirada hacia las persianas, entre cuyas rendijas se filtraba la luz de la calle, dibujando largas franjas amarillas en el suelo de madera.

—No llegué a decirte por qué no me casé contigo, Hani. No del todo. Y me gustaría contártelo ahora.

—Adelante —contestó Hani, y Tala cerró los ojos para no ver las rendijas de luz que entraban desde la calle. Quizá si la oscuridad era tan densa que no le dejaba ver ni la sombra de sí misma, sería capaz de decirlo.

—Siempre me han atraído más las mujeres que los hombres, Hani. Siempre. Por eso, aunque te quería, no sentía verdadero amor por ti, no del modo en que lo siento por... —Calló un momento y respiró hondo—. Lo que quiero decir es que me di cuenta de que sí lo sentía por otra persona, y era Leyla. Pero estaba demasiado asustada para reconocerlo ante mí misma, y menos aún ante los demás.

Supo que Hani la estaba escuchando porque le oyó respirar y aclararse la garganta.

—¡Caray! —dijo Hani al final. Después, tras una larga pausa y otra tos, añadió un toque de ironía—: ¿Así que no fue culpa mía?

Tala soltó una pequeña carcajada, y al respirar hondo le entraron ganas de llorar, y para su consternación, esta vez no consiguió contenerse y las lágrimas brotaron como un torrente, sin sentido de la mesura ni de las formas, y Tala sollozó intentando hacer el menor ruido posible, mientras Hani la escuchaba sin pronunciar palabra. Cuando pudo parar y buscó a tientas los pañuelos de papel de la mesilla, Tala intentó disculparse, pero él la interrumpió.

—Deberías estar orgullosa de ti misma, Tala —declaró—. Por haberlo reconocido por fin. No hay muchas personas que se atrevan, especialmente en la parte del mundo donde vivimos. Además... me alegro de que me lo hayas contado. Me ayuda. De verdad que me ayuda.

La alegría que Hani intentó conferir a su voz no compensaba del todo la gravedad de su tono, pero Tala agradeció mucho su delicadeza, su amistad.

—Puedes estar segura de que seré absolutamente discreto. Lo sabes, ¿no? No se lo diré a nadie.

Tala se sonó la nariz y sonrió.

—Vale, espérate un par de días por lo menos. Déjame que hable antes con mis padres —dijo, y esta vez soltó una sonora carcajada.

—Buena idea. Te deseo suerte —dijo Hani—. Porque, créeme, *habibti*, la vas a necesitar.

* * *

A la mañana siguiente, Tala entró en el comedor a las diez y se encontró a sus padres muy contentos tras la excelente cena del día anterior y el excelente colofón de la velada en el casino. La recibieron con entusiasmo y le hicieron un gesto para que se sentara a desayunar con ellos, mientras Reema le acercaba solícitamente la bandeja de frutas tropicales.

—Prueba la papaya, mamá —dijo Reema mientras encendía un cigarrillo—. Es anticancerosa.

Tala pensó si debía señalar o no la obvia paradoja, mientras veía cómo la fruta recomendada quedaba cubierta por el humo que acababa de exhalar Reema, pero su madre se le adelantó.

—No digas nada —dijo—. Necesito un cigarrillo para ponerme en marcha por la mañana.

—Quería hablar con vosotros —dijo Tala en voz baja, armándose de valor.

Reema dio otra calada al cigarrillo y entrecerró los ojos para mirar a su hija.

—Seguro que no vas a decirnos nada bueno; de ser así, sonreirías.

Tala comprendió que no sería necesario empezar con formalidades. Acababan de abrirle una puerta, y solo había una manera de atravesarla.

—Es algo bueno —empezó con valentía, dispuesta no solo a plantear la premisa básica, sino a plantearla de un modo que influyera en la reacción de sus padres—. Estoy enamorada de una persona maravillosa.

Omar frunció el ceño, y Reema dio un mordisco a la boquilla. Se preciaba de buscar siempre la parte positiva de las cosas, de encontrar esperanza en donde solo parecía haber desesperación; era así cómo había conseguido resistir a pesar de tener dos hijas tan decepcionantes como Tala y Zina, pero en el fondo de su corazón, sabía que la frase que acababa de oír no auguraba nada bueno.

Hacía algunos años, Reema había empezado a percibir vagamente que en su hija mayor había algo raro, algo que la había hecho arrepentirse de haberse empeñado en apuntarla en aquel internado femenino. Algo horrible, algo obsceno, algo repugnante. Era solo una insinuación, una posibilidad, un presentimiento, un sabor amargo en el fondo de la lengua, nunca algo que Reema hubiera sido capaz de expresar en voz alta, para que atrajera la atención de los demás. Su estrategia había consistido más bien en tragarse sus sospechas cada vez que se habían insinuado, o bien, como en el reciente viaje a Oxford con esa tal Leyla, en arreglar las cosas para que un poco de presión mantuviera a su hija en el camino recto.

—Soy lesbiana —anunció Tala, y cerró los ojos un momento, disimulando el gesto como si fuera un parpadeo.

Esperó nerviosa, pero llena de determinación, la respuesta de Reema. Su padre contemplaba los trozos de fruta dispuestos en abanico con el aire de quien no ha oído nada.

Reema se sintió como si acabaran de cortarle los dedos con un hacha mal afilada. No podía creer que Tala acabara de pronunciar esa palabra: *lesbiana.* Se había estremecido solo de oírla. Era una noción demasiado alejada de la realidad del matrimonio, situada a kilómetros de distancia del acto sexual, que en su estado natural contenía la imagen de una virilidad fuerte y enérgica fusionándose con la sumisión femenina (porque en el tema del sexo, Reema estaba más influida por su ávida lectura de novelas rosa que por su propia experiencia personal). La homosexualidad le parecía un experimento científico imprudente y particularmente repugnante. Le entraron ganas de chillar.

Sin embargo, el ama de llaves había elegido justo ese momento para entrar en la habitación con una nueva tetera. Con gestos lentos y metódicos, Rani descargó el carrito, colocando la bandeja de pastas más cerca de Tala y reservando para el final el vasito adornado con filigrana de oro, el preferido de Reema, que depositó con delicada precisión frente a su jefa. Lanzó una mirada a Reema y decidió no servirle todavía el té, porque le pareció ver que apretaba los dientes bajo los músculos en tensión de la mandíbula. Rani salió rápidamente del comedor y se apostó al otro lado de la puerta, en el punto donde la acústica de la conversación que se desarrollaba en el interior era óptimo.

Después de verse obligada a reprimir su primer e instintivo ataque de rabia (porque jamás airearía los trapos sucios, repugnantemente sucios en este caso, delante del personal), Reema apagó el cigarrillo con un suspiro de frustración, como si el residuo de cenizas contuviera todas sus esperanzas arrasadas.

—¿No queréis saber quién es? —dijo Tala, alzando la cara después de haberse pasado un minuto mirando el suelo.

Su madre le lanzó una mirada torva.

—Es Leyla —continuó Tala, sorprendida de su resolución.

Por la cabeza de Reema pasaron dos consideraciones: la primera, que aquella tal Leyla llevaba el conflicto escrito en la cara (una cara que, por cierto, era del mismo color que la de los numerosos empleados de su casa), y se maldijo por no haber encontrado la manera de apartarla de la vida de su hija. La segunda, más relacionada con el hecho de haber intuido la situación desde hacía tiempo, era que ahora tendría que encontrar la forma de curar a Tala. Para Reema no se trataba de algo que uno es sino de algo que uno padece, y había modos de solucionarlo. El principal era un buen matrimonio, pero Tala se había negado obstinadamente a probar este método. Reema pensó fugazmente en los centros de rehabilitación que había oído decir que existían en Estados Unidos, aunque no sabía muy bien dónde estaban.

—No digas nada a nadie —exigió—, hasta que lo arreglemos.

—Se lo diré a quien quiera, y no hay nada que arreglar.

—¿Es que no nos has avergonzado bastante? —gritó Reema a la espalda de su hija, porque Tala ya se había levantado para salir del comedor—. ¡Eres una vergüenza! ¡Una aberración! —chilló, y Tala tuvo tiempo de intercambiar una mirada llorosa con su padre, antes de marcharse dando un portazo.

Omar, pillado entre dos bandos, trató de calmar a su mujer apoyándole una mano en el hombro, pero al ver que Reema ni se daba cuenta de su presencia, salió a toda prisa tras su hija.

En la quietud del vestíbulo, cuando ya habían cesado la histeria y los portazos, Rani tuvo la impresión de que su jefa podía necesitarla. Entró en el comedor discretamente, con movimientos sigilosos y mesurados, y vio a Reema derrumbada en la butaca, con una mano sobre el pecho y la otra sosteniendo con desgana la boquilla. Con cautela, Rani le sirvió un té con menta y le tendió un vasito, en el que el pequeño escupitajo que había depositado hacía un rato flotaba imperceptiblemente, y, por primera vez desde que Rani había comenzado aquel juego solitario, Reema bebió.

Capítulo 17

Maya estaba sentada entre el público y se sentía rebosante de orgullo mientras intentaba indicar silenciosamente a Leyla, rodeada de todos aquellos intelectuales, que se sentara más erguida. Pero Leyla no la miraba; parecía nerviosa, lo cual era comprensible. La presentación de su libro era un acontecimiento importante. Maya rivalizó por el reposabrazos con su expansivo marido, que se estaba apoderando del asiento de su izquierda y de la mitad del suyo, y pensó en lo orgullosa que estaba de haber dado a luz a una hija tan inteligente, capaz de escribir toda una novela. Se volvió a la derecha con la cara radiante y dedicó a su hija pequeña una gran sonrisa de aprobación. Aunque esperaba con ansia el día en que Yasmin dejara de meter langostas vivas en las cacerolas y preparase algo normal para cenar, como un buen *tikka-masala* o un tradicional pastel de carne, de pronto le pareció una suerte que al menos supiera cocinar. Observó el perfil de Ali, que estaba sentado al lado de Yasmin (como resultado de una inteligente maniobra por parte de Maya) y pensó que hacían buena pareja. Y después todos intercambiaron una mirada y una sonrisa y vieron cómo Leyla se ponía de pie e iniciaba la lectura. Maya suspiró complacida y miró en derredor. En aquel elegante patio londinense, donde las piedras antiguas eran acariciadas por los últimos rayos de sol del día, se sintió feliz.

Leyla comenzó la lectura con la sensación de tener piedras en el estómago y con una voz algo temblorosa, pero intentó concentrarse en las palabras, recordar que estaba narrando una historia, y a medida que se introdujo en el mundo del relato, sintió que su voz se relajaba y sus hombros también. Concluyó con elegancia la lectura del fragmento al cabo de tres minutos y se sonrojó cuando estallaron los aplausos. Entre el público, más nutrido de lo que se había atrevido a esperar, vio a sus padres y también a Yasmin y a Ali, sonriendo y aplaudiéndola. Fue un momento dorado, porque el sol de la tarde aún no estaba muy bajo y los iluminaba a todos, y Leyla sintió su roce pintándole los brazos. Solo le faltaba una cosa para completar su felicidad, pero tenía que ver con alguien a quien no podía forzar, y un día u otro, de una manera u otra, debería aceptar este hecho.

Cuando terminó la lectura, a Leyla la llevaron a una mesita en la que podía firmar ejemplares. Horrorizada ante la idea de estar allí sentada y que solo acudieran a pedirle firmas sus familiares, sintió un gran alivio al comprobar que empezaba a formarse una larga cola, y se sentó con el bolígrafo e intentó mostrarse relajada, como si aquello fuera algo que hiciera todos los días. Por el rabillo del ojo vio que Ali le sonreía, y también atisbó a su padre comprando orgulloso un montón de ejemplares de su libro y a su madre charlando con algunos asistentes y explicándoles que la famosa escritora era su hija. Alzó la cabeza y vio que alguien acababa de colocar un libro sobre la mesa.

—¿Podría firmarlo como «Jane Austen»? —preguntó Yasmin.

Leyla sonrió, firmó con su nombre y alzó la cabeza otra vez, mientras Yasmin se apartaba ágilmente y dejaba sitio a la siguiente persona de la cola. Al cabo de cinco minutos, Leyla ya había pillado el ritmo, abría el ejemplar directamente por la página que tocaba y preguntaba a quién tenía que dedicarlo, antes de devolverlo con una sonrisa y unas palabras amables.

—¿A quién quiere que se lo dedique? —preguntó por vigésima vez en diez minutos. Le emocionaba ver que tantas personas se habían quedado después de la presentación para comprar el libro. El editor le había dicho que no se hiciera muchas expectativas porque era una escritora novel y nadie había oído hablar de ella.

—A Tala —fue la respuesta.

Leyla alzó rápidamente la cabeza y tuvo la impresión de que todo sonido y toda percepción desaparecían. Los intensos ojos castaños de Tala se clavaron en los suyos durante un largo momento, hasta que Leyla se dio cuenta de que llevaba mucho tiempo sin respirar y había adoptado la actitud de una estatua poco elegante, con la boca abierta y el bolígrafo suspendido en el aire.

—A Tala —repitió Tala en voz baja, y le dictó la dedicatoria—: Que por fin ha tenido el valor de contárselo a sus padres.

Respondió a la mirada inquisitiva de Leyla con un gesto de la cabeza y una sonrisa silenciosa. Aclarándose la voz, aunque no se le ocurría nada racional que decir, Leyla miró el libro. Lo abrió, escribió rápidamente unas palabras, lo cerró y se lo devolvió a Tala. Las puntas de sus dedos se rozaron, y Leyla sintió que la electricidad del contacto le recorría la espina dorsal.

—Gracias —dijo Tala, y se alejó.

En cuanto pudo, Tala se paró, sostuvo el libro en la palma de la mano y lo miró. Sonrió con orgullo al ver el nombre de Leyla impreso en la cubierta, y a continuación sonrió azarada al darse cuenta de lo temblorosas que tenía las manos. Respiró hondo, abrió con cuidado la tapa y vio que Leyla había escrito solamente dos palabras, pero eran justo las que Tala había deseado ver. Eran palabras que Tala había leído hasta entonces miles de veces, en libros y en alguna carta de amor, pero que la conmovieron como si hubieran sido escritas y puestas sobre el papel por primera vez en la historia y solamente para ella.

El hechizo del momento se rompió, aunque no de una forma desagradable, cuando Ali abordó a Tala para abrazarla y presentarle a la hermana de Leyla, una chica desgarbada, en cuyos ojos brillaba una chispa especial. Y aquel matrimonio mayor que se les acercaba debían de ser los padres de Leyla, pensó Tala con desazón. Contuvo la urgencia de respirar aceleradamente e intentó sonreír con tranquilidad mientras los saludaba. Quizá sabían que Leyla era lesbiana, pero no tenían por qué saber si Tala había besado alguna vez a su hija, la había acariciado o simplemente la había mirado. ¿O sí lo sabían?

—¿Qué te pasa, Tala? —Ali le puso una mano en el brazo, y Tala sintió que volvía a afluirle la sangre a la cara.

—Nada, estoy bien.

Saludó a los padres de Leyla con un apretón de manos. El padre parecía muy agradable y le regaló otro ejemplar del montón que llevaba en brazos, y su madre fue también muy amable, aunque el modo en que esquivaba la mirada de Tala, junto con la sonrisita irónica de Yasmin, le hicieron sospechar que todos sabían muy bien qué había hecho tiempo atrás con su hija en un hotel de Oxford. Tala tragó saliva, miró en derredor y vio que Leyla había terminado de firmar ejemplares y se dirigía hacia ellos. Aliviada pero también nerviosa, se apartó un poco para dejar sitio a Leyla en el círculo, y observó agradecida cómo la atención general pasaba de sí misma a la famosa escritora que estaba recibiendo los abrazos y besos de todos, hasta que le llegó a Tala el turno de felicitarla.

Aterrada por la presencia de los padres, Tala tendió la mano derecha y enseguida se quedó mirando sus propios dedos, extendidos en un gesto formal que solo utilizaba con los clientes de la empresa o con perfectos desconocidos. Sabía que debía retirar la mano, comportarse como una persona normal, como una amiga, y felicitar a Leyla con un abrazo o algo así, pero era demasiado tarde. Leyla correspondió al gesto y le estrechó la mano con solemnidad. Por la cabeza de Tala pasó una imagen de la primera vez que se habían visto, hacía tanto tiempo (no tanto en realidad, pensó también), en su casa. Después, lentamente, sinuosamente, se dio cuenta de que Leyla se inclinaba hacia ella y sintió sus labios rozándole suavemente la mejilla, y la cabeza le dio vueltas al notar la fragancia de su piel tan cerca de ella.

—Siento alterar tu reserva —dijo Leyla—, pero creo que no es mucho pedir un beso de felicitación.

Tala asintió, sonrió y le devolvió el beso, pero el roce de la mano de Leyla sobre la suya, la caricia de su ropa contra la suya, fueron una especie de tortura, porque ahora ansiaba darle a Leyla un beso de verdad, apretar sus labios contra los suyos, deslizarle las manos bajo la camisa y...

—Ven a cenar con nosotros —propuso amablemente Sam.

Interiormente, imperceptiblemente, Tala hizo un esfuerzo por controlarse y trató de hablar con normalidad.

—Será un placer —dijo, porque no podía alejarse de Leyla, aunque no sabía si sería capaz de resistir toda una cena sin traicionarse. Además, ¿qué pasaría luego?

—Os he reservado habitación en un hotel —anunció Yasmin en voz baja cuando por fin salieron del restaurante y se pararon un momento en la acera—. ¡Feliz Navidad!

—Faltan tres meses para Navidad —dijo Leyla.

—Sí, bueno, no esperéis ningún regalito debajo del árbol —aclaró Yasmin con una gran sonrisa. Garabateó el nombre del hotel en una servilleta y se lo pasó.

—Papá, mamá, venid —dijo Yasmin, parando a un taxi—. Ali y yo os llevaremos a casa. Estas dos se van de celebración.

—¿Ahora? —exclamó Maya—. ¡Si ya son las diez!

—No tienen ochenta años, mamá —dijo Yasmin, y la respuesta de Maya se perdió mientras la empujaban sin contemplaciones en el asiento trasero.

Lanzando una última mirada a Leyla y a Tala, una mirada que no estaba exenta de melancolía, Ali subió al taxi con los demás y agitó la mano tras la ventanilla.

El ruido de la puerta golpeando la pared resonó en los pasillos del hotel, pero Leyla no se dio cuenta, porque la boca de Tala estaba sobre le suya mientras las dos irrumpían en la habitación. Cerró la puerta con el pie y se apoyó en la pared, saboreando la lengua de Tala, que perseguía la suya, y quitándole el abrigo. Tala bajó la boca hasta su cuello, siguiendo el recorrido de sus dedos, que desabrocharon los botones de la blusa de Leyla, forcejeando febrilmente con la ropa, y liberaron por fin sus pechos, y empezó a besarlos y lamerlos, acariciando los pezones erectos con una lengua delicada pero insistente. Leyla se inclinó hacia ella y sus manos se introdujeron bajo el sujetador de Tala y luego bajaron acariciando su abdomen, buscando el cinturón y abriéndolo, y se deslizaron dentro de sus bragas, pero Tala se arrodilló en el suelo, colocándose fuera de su alcance, y dibujó una línea con la lengua por el abdomen de Leyla, bajándole los pantalones con unas manos que se demoraron sobre su cuerpo y le separaron las piernas, que a Leyla ya casi no la sostenían.

Leyla gimió y echó la cabeza para atrás al sentir aquella lengua acariciándola. Desapareció todo pensamiento, toda percepción, no quedó nada que no fueran las oleadas de sensación, sus caderas moviéndose contra la boca de Tala, hasta que tuvo que gritar. Temblorosa, se inclinó sobre Tala, que la apretó contra su piel, con los cuerpos tan fusionados que, en el mundo inefable que habían revelado sus sentidos agudizados, Leyla ya no sabía dónde acababa el suyo y dónde empezaba el de Tala.

* * *

Hani estaba sentado frente a Reema, que acababa de llegar de Londres, en un caro restaurante de Amán, rodeado del parloteo de los comensales, intentando mantener una conversación que no tuviera que ver con la política, la religión o la sexualidad. Los dos primeros temas nunca eran fáciles de evitar en Oriente Próximo, y el último estaba muy presente en la cabeza de uno y otro por causa de Tala. Hani dio otro mordisco al pan de pita con tomillo y lamentó fugazmente haber invitado a comer a su ex futura suegra. La había invitado porque sabía que era la única persona con la que podía intentar hablar de Tala, y porque era conveniente que la buena sociedad de Amán viera que no guardaba rencor a la familia de Tala por lo que había pasado. Pero llevaban diez minutos en la mesa y ya habían agotado los temas del tiempo, el viaje en avión y el trabajo en el Ministerio.

—¿Sabe una cosa, tía? —dijo de pronto Hani—. Lo de Tala no es el fin del mundo.

Una risa, sin relación con sus palabras pero inoportunamente simultánea, les llegó de pronto desde la mesa contigua, oculta de su vista por unas discretas banquetas con plantas. Reema suspiró y cogió un cigarrillo. Hani se inclinó hacia ella, con el encendedor preparado.

—Lo importante es que sea feliz, tía —volvió a intentar—. Es lo único que tiene importancia.

Reema lo miró sin entusiasmo. Quizá era una suerte que Tala no se hubiera casado con Hani. Ese chico estaba como una cabra.

—La felicidad no tiene nada que ver —explicó Reema con lentitud, como si hablara con alguien de facultades mentales limitadas—. El problema es que la gente habla —masculló.

—¿Sabe una cosa? Nadie está enterado. Y si se enterasen, no creo que les importara. Los tiempos han cambiado, tía. Incluso aquí.

De nuevo les llegó una risa desde la mesa contigua, pero esta vez, en el silencio que Reema había impuesto a Hani con una mirada fulminante, captaron un retazo de la conversación que mantenían cuatro mujeres:

—¡Anda ya! ¡No puede ser!

—¿Qué has dicho que es?

—¡No hablarás en serio, *habibti*! ¡¿Tala?!

Hani se retorció en la silla mientras las otras mujeres hacían bajar la voz a su amiga. El cotilleo continuó con voces ahogadas que llegaron hasta Reema, rígida como una estatua de piedra.

—La verdad —dijo una de las mujeres, en un tono significativo—, no veo que sea para tanto, eso de Tala.

Hani suspiró. La frase prometía. ¿Podía permitirse sonreír?

—Quiero decir... —continuó la mujer—. ¡Algunas de mis mejores amigas también son libanesas!

Cerrando los ojos un momento, Hani descubrió que sí podía.

Títulos de la Colección Salir del Armario

En otras palabras
Claire McNab

Pintando la luna
Karin Kallmaker

Con pedigree
Lola Van Guardia

Diario de Suzanne
Hélène de Monferrand

Nunca digas jamás
Linda Hill

Los ojos del ciervo
Carlota Echalecu Tranchant

La fuerza del deseo
Marianne K. Martin

Almas gemelas
Rita Mae Brown

Un momento de imprudencia
Peggy J. Herring

Plumas de doble filo
Lola Van Guardia

Vértices de amor
Jennifer Fulton

La mujer del pelo rojo
Sigrid Brunel

Si el destino quiere
Karin Kallmaker

Historia de una seducción
Ann O'Leary

Un extraño vino
Katherine V. Forrest

El secreto velado
Penny Mickelbury

Un amor bajo sospecha
Marosa Gómez Pereira

Un pacto más allá del deseo
Kristen Garrett

La mansión de las tríbadas
Lola Van Guardia

Ámame
Illy Nes

Hotel Kempinsky
Marta Balletbó-Coll / Ana Simón Cerezo

Dime que estoy soñando
Jane Jaworsky

La abadía
Arancha Apellániz

Otras voces
VV. AA.

Palabras para ti
Lyn Denison

Taxi a París
Ruth Gogoll

Secretos del pasado
Linda Hill

Ese abrazo que pretendía darte
Karin Kallmaker

Un buen salteado
Emma Donoghue

Date un respiro
Jenny McKean-Tinker

Esperándote
Peggy J. Herring

Allí te encuentro
Frankie J. Jones

Placeres ocultos
Julia Wood

Una cuestión de confianza
Radclyffe

El vuelo de los sentidos
Saxon Bennett

No me llames cariño
Isabel Franc / Lola Van Guardia

La sombra de la duda
J.M. Redmann

Punto y aparte
Susana Guzner

Amor en equilibrio
Marianne K. Martin

Cartas de amor en la arena
Sharon Stone

Dame unos años
Lais Arcos

Algo salvaje
Karin Kallmaker

Media hora más contigo
Jane Rule

La vida secreta de Marta
Franca Nera

Honor
Radclyffe

Encuentro en la isla
Jennifer Fulton

Rápida Infernal y otros cuentos
Jennifer Quiles

Alma mater
Rita Mae Brown

La otra mujer
Ann O'Leary

Sexutopías
Sofía Ruiz

La vida en sus ojos
Deborah Barry

Una aupair bollo en USA
Asia Lillo

Vínculos de honor
Radclyffe

La danza de los abanicos
Carmen Duarte

Yocasta
J.M. Redmann

Cuando la piel no olvida
Katherine V. Forrest

Después de todo
Karin Kallmaker

Una noche de verano
Gerri Hill

Así debería ser la vida
Diana Tremain Braund

Las estrategias del amor
Selyna Malinky

Mi exaltada siciliana
Isabel Prescolí

Las líneas del deseo
Radclyffe

Sólo por esta vez
K.G. MacGregor

Una canción para Julia
Ann O'Leary

Por amor
S. Anne Gardner

Éxodo al paraíso
Helen Ruth Schwartz

La bailarina de las sombras
Manuela Kuck

Ven a buscarme
Julie Cannon

La salvaje
Lyn Denison

Amor y honor
Radclyffe

Por primera vez
Geovanna Galera

Una isla para dos
Ruth Gogoll

Sex
Beatriz Gimeno

Tras el telón de pino
Gerri Hill

La confluencia entre Ley y Deseo
J.M. Redmann

El contrato. Una isla para dos II
Ruth Gogoll

Cheque sin fondos
Peggy J. Herring

Primer Impulso
JLee Meyer

Café Sonata
Gun Brooke

10 días para G
Cristina Vigo

Inolvidable
Karin Kallmaker

Una aparición inesperada
Thais Morales

Liszt tuvo la culpa
Isabel Prescolí

En aguas profundas
Karin Kallmaker & Radclyffe

No voy a disculparme
Mila Martínez

Las hijas ausentes
J.M. Redmann

Las chichas con las chicas
Varias Autoras

Foco de deseo
Kim Baldwin

Hasta la eternidad
Vanessa Cedrán

13 horas
Meghan O'Brien

Atrévete
Larkin Rose

Mi querida diablo lleva zancos
Anna Tortajada

Guardias de honor
Radclyffe

Tras la pared
Mila Martínez

Amor para acompañar
Tracey Richardson

Tocando tierra
Emma Donoghue

Sólo un negocio
Julie Cannon

No imagino otra vida
Shamim Sarif